GRAINE
D'IMMORTELS

Du même auteur
aux Éditions J'ai lu

Les guerriers du silence :
1. Les guerriers du silence, *J'ai lu* 4754
2. Terra Mater, *J'ai lu* 4963
3. La citadelle Hyponéros, *J'ai lu* 5088
Wang :
1. Les portes d'Occident, *J'ai lu* 5285
2. Les aigles d'Orient, *J'ai lu* 5405
Atlantis - Les fils du Rayon d'or, *J'ai lu* 4829
Abzalon, *J'ai lu* 6334
Orcheron, *J'ai lu* 8044
Les fables de l'Humpur *J'ai lu* 6280
Les derniers hommes, *J'ai lu* 7558
Les derniers hommes :
1. Le peuple de l'eau, *Librio* 332
2. Le cinquième ange, *Librio* 333
3. Les légions de l'Apocalypse, *Librio* 334
4. Les chemins du secret, *Librio* 335
5. Les douze Tribus, *Librio* 336
6. Le dernier jugement, *Librio* 337
Nuits-Lumière, *Librio* 564

PIERRE BORDAGE

GRAINE D'IMMORTELS

Remerciements

À Gérard Toulouse, physicien, directeur de recherche à l'École normale supérieure, qui fut parmi les premiers membres du Comité d'éthique pour les sciences, pour son aide précieuse et ses conseils dans l'élaboration de cette série.

À Louis-Marie Houdebine, directeur de recherche à l'INRA, membre de la Commission de génie génétique et de l'intercommission Thérapeutiques substitutives de l'Institut national de la recherche médicale et de la santé, pour avoir accepté d'imaginer le contenu scientifique du dossier Kali.

À Alain Gallochat, directeur juridique de l'Institut Pasteur, dont les éclaircissements sur la problématique des brevets scientifiques furent d'un apport inestimable.

1

John Merrick avait l'impression que cette scène ne le concernait pas. C'était pourtant bien sa femme qui, les mains et les pieds liés, la bouche fermée par une bande adhésive, geignait de peur et de douleur sur le tapis chinois. Sa fille qui, assise sur le canapé, fixait d'un regard exorbité la bouteille grise se promenant quelques centimètres au-dessus de sa tête.

Merrick était rentré aux alentours de neuf heures, après un corps à corps torride avec Joan, l'incendie roux qui avait ranimé sa libido éteinte par treize années de morosité conjugale. Le silence inhabituel qui semblait isoler la maison du reste de l'univers l'avait bien un peu étonné, mais, à aucun moment, il ne se serait douté que le ciel venait de lui tomber sur la tête.

Les visiteurs s'étaient introduits chez lui sans déclencher le système d'alarme, pourtant sophistiqué – coût de la merveille technologique : cent mille dollars. Merrick avait d'abord découvert sa femme allongée sur le tapis du salon, ligotée, bâillonnée. Son premier réflexe avait été de fuir, mais son attention avait été attirée par un mouvement au fond de la pièce. Il avait alors aperçu Sharon, sa fille, recroquevillée sur le canapé en cuir jaune, attachée et réduite au silence elle aussi. Puis deux individus qu'il ne connaissait pas : un blond à la face poupine et aux yeux presque entièrement blancs ; un métis au crâne rasé et au visage en lame de couteau. Tous les deux gantés de latex noir et vêtus de costumes italiens à la coupe impeccable (les yuppies branchés du Downtown portaient le même genre de costard). Le blond promenait une bouteille au-dessus des vagues ambrées de la chevelure de Sharon. Une bouteille de plastique gris. Avec une tête de mort sur l'étiquette. Merrick avait ouvert la bouche pour hurler, mais un pistolet avait jailli dans la main du métis et lui avait rentré ses mots dans la gorge.

Il avait tout de suite compris que les intrus ne s'étaient pas invités chez lui pour lui piquer son matériel hi-fi, sa télé à écran plasma ou les trois tableaux – trois croûtes d'un dénommé Szack – qui, selon son patron, vaudraient une petite fortune dans une vingtaine d'années. Ces deux-là n'avaient rien à voir avec les petits braqueurs surexcités qui proliféraient comme les écureuils dans les rues aérées de Kansas City. Ses yeux ne parvenaient pas à se détacher de la bouteille : *acide chlorhydrique*, gueulait l'étiquette. Bon Dieu ! Que quelques gouttes s'échappent du goulot, et le cuir chevelu de Sharon, le front de Sharon, l'adorable nez de Sharon… Merrick desserra son nœud de cravate. Il transpirait à grosses gouttes sous sa chemise double-fil à sept cents dollars.

« Désolés de cette intrusion, monsieur l'avocat », fit le métis.

Ce type au sang nègre s'exprimait avec la même suavité, la même distinction british qu'un WASP de Boston. La négligence affectée avec laquelle il braquait son flingue sur Merrick accentuait cette impression d'élégance glaciale.

« Mais il se trouve que vous êtes en possession d'informations qui nous intéressent.

— Je suis prêt à en discuter, bredouilla Merrick. À condition que vous relâchiez ma fille… »

Son regard tomba sur sa femme qui, vêtue de son vieux peignoir, se tortillait comme un lombric sur la soie du tapis.

« Et ma femme », ajouta-t-il à regret.

Mrs Merrick ressemblait à toutes les Américaines obsédées par leur ligne. D'une maigreur repoussante, elle paraissait en permanence se balader derrière un détecteur à rayons X. Sa poitrine aux rondeurs synthétiques offrait un contraste malheureux avec les hachures de son squelette. Il n'avait plus envie d'elle – comment avait-il pu la désirer un jour ? –, mais il la supportait parce que Sharon, âgée de huit ans, avait encore besoin de sa mère.

Le blond ricana et posa le bouchon de la bouteille sur la joue de Sharon. Merrick jeta un coup d'œil affolé par la porte-fenêtre. Le halo du lampadaire cerné par les ténèbres dévoilait un bout de pelouse, un capot de voiture, la branche basse d'un séquoia, un tronçon de rue désespérément désert. Rien à attendre des voisins : le quartier, un quartier huppé de Kansas City, était habité par des minables qui frimaient le jour dans leur décapotable et se barricadaient dans leurs somptueux bunkers à la tombée de la nuit – comme lui.

« Vous n'êtes pas en position d'imposer vos conditions, maître Merrick, reprit le métis. Ou vous collaborez, et nous nous quittons bons amis. Ou vous faites des difficultés, et mon camarade sera au regret de défigurer votre fille.

— Qu'est-ce que vous voulez, merde ? haleta Merrick. Prenez ce qui vous intéresse et foutez le camp ! »

Du canon de son arme, le métis désigna les tableaux au mur, les meubles, les tapis, la bibliothèque, les bibelots entreposés comme des reliques dans les vitrines en verre. Il ne portait ni gourmette ni chaîne aux énormes maillons, ni aucun autre de ces signes extérieurs de richesse dont étaient friands les gens de couleur – tels que se les représentait Merrick.

« Je m'en voudrais de priver votre famille des fruits légitimes de votre labeur », dit-il avec un petit sourire qui retroussa ses lèvres brunes sur des dents d'une blancheur insolente.

Merrick n'aimait pas les nègres, les Afro-Américains comme l'Amérique molle des démocrates avait cru bon de les baptiser : escrocs, maquereaux, dealers, braqueurs, hâbleurs, rois du basket, du foot, du baseball et de la boxe. Sourires étincelants de morgue, membrés comme des étalons… C'était, chez l'avocat John Merrick, un racisme basique, archaïque, qui le changeait agréablement de la complexité du droit commercial.

Un gémissement étouffé le fit tressaillir. Les yeux de Sharon étaient des puits de désespoir froids dans lesquels il sombra entièrement. Il suffoqua, tenta de remettre un peu d'ordre dans ses pensées. Il était en train de se noyer, mais il devait au moins sauver sa fille.

Le blond dévissa lentement le bouchon de la bouteille en lâchant un rire de sale gosse. Une fumée jaunâtre et une odeur méphitique s'échappèrent aussitôt du goulot, comme les fléaux humains de la boîte de Pandore.

« Arrêtez ça ! cria Merrick. Et dites-moi ce que vous voulez. »

Le métis contourna le canapé et s'avança d'une allure de fauve vers l'avocat. Son ombre se déploya sur le parquet blond. Ses chaussures montantes de cuir noir étaient parfaitement assorties à l'anthracite de son costume, au rose saumon de sa chemise et au bronze poli de son crâne. Aucune faute de goût. Et Merrick se méfiait comme du SIDA des nègres qui avaient parfaitement assimilé la culture blanche. Les plus coriaces de ses adversaires étaient les avocats de couleur des boîtes de l'Ouest. Des types à l'esprit affûté qui connaissaient leur droit sur le bout des doigts et qui sautaient sur toutes les occasions d'en faire baver aux anciens esclavagistes.

Le métis enjamba avec précaution le corps entravé de la femme sur la flaque bleue du tapis. Un serpent de lumière se coula sur le canon de son flingue et sur le latex de ses gants. Passionné d'armes, Merrick reconnut un Beretta 92 de calibre 9 mm, l'arme des flics américains. Un pistolet très répandu, presque anonyme.

« Le code *Kali*, dit le métis. Ça vous dit quelque chose ? »

L'avocat distingua alors les paupières lourdes et les yeux bridés de son interlocuteur. Ce salopard avait aussi du sang jaune dans les veines.

« Le code *Kali*, monsieur l'avocat… » répéta lentement le métis.

Comme dans un rêve, Merrick vit le blond incliner légèrement la bouteille d'acide au-dessus du visage de sa fille. À force de contorsions, sa femme réussit à basculer sur le dos. Son peignoir s'ouvrit comme un fruit mûr et découvrit ses cuisses maigres à la peau fripée.

« Je ne vois pas ce que vous… » gémit Merrick.

Sans se retourner, le métis tendit le bras au-dessus de son épaule et claqua des doigts. Le blond pencha la bouteille. Des gouttes d'acide tombèrent en pluie sur la joue de Sharon. Le bâillon étouffa le hurlement de la fillette. De sa main libre, le blond la plaqua par le cou sur le canapé, puis il releva la bouteille. Lorsqu'il vit monter des petites volutes de fumée de la peau tendre de sa fille, Merrick crut que son cœur s'arrêtait de battre. Des larmes de rage lui brouillèrent la vue. Mais l'œil rond et noir du Beretta le dissuada de se ruer comme un taureau furieux sur le canapé.

« J'en ai entendu parler, lâcha-t-il d'une voix sourde. Comme d'autres à BioGene. Mais je ne sais pas grand-chose, je vous jure… »

Il ne quittait pas des yeux la joue de Sharon, qu'il voyait se déformer et se creuser sous l'action de l'acide.

« Cessez de nous prendre pour des idiots, monsieur l'avocat. La prochaine fois, mon camarade versera l'acide dans l'œil droit de la petite. »

Merrick sentit sur son visage la brûlure du regard de sa femme, qui avait enfin cessé de s'agiter sur le tapis. Elle était dénudée jusqu'au nombril. Elle se fichait bien de s'exhiber devant des inconnus. Elle n'était plus en cet instant qu'une mère, un concentré d'angoisse et de peur.

« Je… *Kali* est un projet génétique, murmura Merrick.

— Ceci n'est pas une information, fit le métis. Je compte jusqu'à trois, monsieur l'avocat. Soyez certain que mon camarade n'hésitera pas une seconde. »

Il leva le bras et plaça l'extrémité de son majeur sur le sommet de son pouce.

« Un… »

Une tempête de pensées se leva sous le crâne de Merrick. Lui revenaient à l'esprit tous ses raids juridiques et financiers sur les petites boîtes de génomique indépendantes. Il avait récupéré un bon nombre de brevets à des coûts dérisoires. Son efficacité lui avait valu de gravir rapidement les échelons de la BioGene et de capter la confiance de Kirk Alengass, le président du conseil d'administration. En cinq ans, il était passé du statut de conseiller juridique à celui de fondé de pouvoir, un poste qui l'entraînait de plus en plus souvent à franchir la ligne de la légalité. Son salaire avait décuplé en même temps qu'il multipliait les exactions et devenait l'un de ces vampires économiques qui hantaient les tours sinistres du Downtown. Il avait semé le vent, il récoltait la tempête. Ce n'étaient plus des hommes de loi qu'il avait en face de lui, mais des tueurs, des brutes qui n'accordaient pas plus d'importance à la vie que lui-même à la légitimité des entreprises concurrentes.

« Deux… »

Kirk Alengass en personne lui avait confié le suivi du dossier *Kali*. Trahir sa confiance, c'était passer du Capitole à la roche Tarpéienne, se retrouver sans boulot, renoncer à cinq cent mille dollars de salaire annuel et à la prime *très… substantielle, John,* promise par le président du conseil d'administration. Et perdre sans doute Joan, la tornade rousse qui lui chavirait les sens et qui, comme toutes les louves, ne se frottait qu'aux mâles dominants. John Merrick aurait fait n'importe quoi pour ne pas retourner à la case départ, pour ne pas redevenir le péquenot sans le sou d'une ville paumée de l'Iowa.

N'importe quoi. Sauf sacrifier sa fille.

« Trois…

— C'est bon, lâcha Merrick à mi-voix. Qu'est-ce que vous voulez savoir ?

— Tout, cher maître, répondit le métis, le bras toujours en l'air.

— Qui vous envoie ?

— Les questions, c'est moi qui les pose.

— Je ne sais pas combien vous êtes payés pour faire ce boulot, mais on peut peut-être s'arranger… »

Le rire méprisant du métis glaça Merrick.

« Nous ne jouons pas dans la même cour, monsieur l'avocat. Gardez donc vos petites économies et parlez-moi du dossier *Kali*. »

Merrick hocha la tête. Il se pencha sur sa femme et, d'un geste mécanique, lui rabattit le pan de son peignoir sur le ventre. Elle le fixait avec un mélange de colère et de mépris. Elle ne lui pardonnerait jamais d'avoir hésité, d'avoir laissé ces types mutiler Sharon, la chair de sa chair. Il jeta un bref coup d'œil sur la joue de sa fille, prostrée sur le canapé. L'acide avait ravagé par endroits la peau blanche et douce comme un pétale. Il se rassura machinalement en se disant qu'une greffe suffirait sans doute à lui rendre sa texture soyeuse.

Une vague glaciale le fouetta soudain de la tête aux pieds. *Les tueurs ne portaient pas de masque.*

« Je… je n'ai pas toutes les informations là-dedans, bredouilla-t-il en posant l'index sur sa tempe. Il faut… il faut que je passe prendre le dossier à mon bureau… »

Le rire méprisant du métis, encore.

« On ne laisse pas de traces écrites dans ce genre de dossier.

— Je ne vois pas comment vous pouvez affirmer ce…

— Si la BioGene est prête à dépenser plusieurs centaines de millions de dollars pour pirater un brevet, c'est qu'elle en escompte plusieurs centaines de milliards de bénéfice. Qu'elle prend donc toutes ses précautions. Je commence à perdre patience, maître.

— Si je parle, qu'est-ce qui me garantit que vous épargnerez ma fille… et ma femme ? »

Le métis haussa les épaules d'un air fataliste.

« Je suppose que ma parole ne vous suffirait pas.

— Lâchez ma fille, et je vous promets que… »

Le métis claqua des doigts. Le blond glissa sa main gantée de noir sous la nuque de Sharon, lui posa le genou sur l'abdomen et lui maintint le visage tourné vers le plafond. Puis il approcha la bouteille de l'œil droit de la fillette et commença à l'incliner.

« Non ! » hurla Merrick.

À cet instant, les quatre notes du carillon retentirent l'une après l'autre et vibrèrent pendant d'interminables secondes dans le silence suspendu.

Le blond se redressa, posa la bouteille sur la table basse et plongea la main dans l'échancrure de sa veste. D'un geste, le métis fit signe à Merrick de ne pas bouger.

« Vous attendiez quelqu'un ?

— Pas spécialement… »

Le carillon sonna de nouveau, à trois reprises, puis se tut. Le métis resta immobile deux minutes avant de relever son arme sur le visage de Merrick.

« Je vous écoute.

— Vous… vous n'allez rien comprendre si vous n'avez pas quelques notions de génie génétique.

— Notre métier a énormément évolué, maître. J'ai un Q.I. de cent trente, probablement très supérieur au vôtre.

— Vous avez entendu parler de la guerre des brevets génétiques ? »

Le métis acquiesça d'un mouvement du menton. Merrick se souvenait à présent que Franck Parlour, un ancien collègue à la retraite, lui avait téléphoné au bureau en début d'après-midi. Parlour, un vieux cinglé qui partageait sa passion des armes à feu, lui avait dit qu'il passerait aux alentours de vingt et une heures trente pour boire une bière et consulter un site Internet. C'était probablement lui qui avait sonné quelques minutes plus tôt. Un parano dans son genre, capable d'affirmer sans rire que les manipulateurs de Washington DC programmaient les tornades et les blizzards, avait sûrement remarqué quelque chose d'anormal.

Une petite lueur d'espoir s'alluma dans le vide glacial de Merrick.

« *Kali*, c'est à la fois la Genèse et l'Apocalypse, reprit-il d'une voix qu'il s'efforça de garder neutre.

— Vous mélangez trois traditions en une seule phrase, fit le métis avec une moue agacée. Soyez un peu plus clair.

— Les gènes sont les plus petits et les plus puissants des leviers. » Merrick crut déceler un mouvement de l'autre côté de la baie vitrée. « Kali est une déesse à deux faces. Destruction et renaissance.

— Qu'est-ce que c'est que ce charabia ? »

Premier signe d'impatience du métis. Le vent était en train de tourner.

« La BioGene s'intéresse à un biologiste qui met au point une… arme génétique qui pourrait foutre en l'air l'économie des nations occidentales. »

Un fracas de verre brisé l'interrompit. Le métis et le blond plongèrent sur le carrelage avec un étonnant synchronisme. Une balle siffla à travers le salon et transforma une vitrine en une pluie d'éclats scintillants. Merrick vit s'introduire la silhouette efflanquée de Parlour par l'ouverture béante de la baie, un revolver Smith-et-Wesson 686 dans chaque main. Sa femme s'agita frénétiquement sur le tapis, ne réussissant qu'à se dénuder un peu plus. Sharon resta prostrée sur le canapé, en état de choc.

« John, Pat, ça va ? cria Parlour.

— Fais gaffe, Franck ! » hurla Merrick.

Affublé d'un survêtement deux fois trop large pour lui, Parlour évoquait ces soldats de pacotille des clubs de paint-ball. Les jambes fléchies, les deux bras tendus à l'horizontale, les yeux volant comme des papillons fous d'un point à l'autre de la pièce. Aussi ridicule qu'il se voulait féroce.

Merrick chercha du regard le métis et son acolyte blond. Ils avaient… disparu. Comme des créatures de ténèbres dissipées par le premier rayon du jour.

« Où ils sont passés, ces salopards ? brama Parlour.

— Pas loin ! »

Parlour se tourna vers l'endroit d'où avait jailli la voix et pressa rageusement la détente de l'un de ses revolvers. Les balles se fichèrent dans le mur, dans la bibliothèque, dans une croûte à vingt-cinq mille dollars.

Le métis se releva de l'autre côté de la grande table, dans le dos de Parlour.

« Franck ! Att… »

Le cri de Merrick s'enraya lorsque Parlour se mit à tituber et à battre des bras pour se raccrocher à d'invisibles prises. Le Beretta du métis avait craché sans bruit, avec une froideur parfaitement assortie au flegme de son possesseur.

Les deux tueurs avaient opéré à visage découvert ; ils ne laisseraient pas de témoin derrière eux. Merrick décida de tenter le tout pour le tout. Avec un peu de chance, à la faveur de la confusion, de la nuit... Il s'élança vers le canapé, enjamba sa femme empêtrée dans ses liens et les plis de son peignoir, saisit Sharon par un bras et une jambe, la plaqua contre lui et, la tête rentrée dans les épaules, courut vers la bouche noire de la baie fracassée.

Parlour tomba comme une masse sur le carrelage. Son index se coinça sur la détente de l'un de ses revolvers. Les deux tueurs se jetèrent en arrière pour s'écarter de la ligne de tir. Cette même ligne que Merrick, tendu vers son but, franchit sans s'en rendre compte. Une première balle lui disloqua l'épaule, une deuxième atteignit Sharon en pleine tête. Il n'eut pas le temps de s'en affliger. Un dernier projectile s'engouffra dans sa cage thoracique et lui déchira le cœur.

Mike O'Shea et Abel Kromsky s'avancèrent vers la femme de Merrick.

« Merde, on a perdu la piste, murmura le blond.

— Pas si sûr, dit le métis. Merrick était un minable. Il a dû se croire obligé de sortir le grand jeu pour être à la hauteur de cette Joan. Elle en sait certainement beaucoup plus qu'elle n'a bien voulu le dire. Dis bonne nuit à madame Merrick, Abel. »

Abel Kromsky s'accroupit et promena pendant quelques secondes l'extrémité du canon de son arme, un énorme .454 Casull, sur la poitrine et le bassin découverts de la femme. Elle tremblait tellement que ses omoplates, son coccyx et ses coudes claquaient en cadence sur le tapis. Quand il en eut assez de contempler ses yeux fous de terreur, il lui posa la bouche du canon sous le sein gauche.

« Bonne nuit, madame Merrick. »

2

Oppressé, incapable de trouver le sommeil, Mark Sidzik se leva, traversa le séjour, ouvrit la baie vitrée et, négligeant de se couvrir de son peignoir, s'avança sur le balcon. Le vent sec et froid lui mordilla la peau. Il reconnut machinalement les fragments des constellations dévoilés par les déchirures subites des nuages : Capella, l'épaule gauche du Cocher, l'étoile polaire, à l'extrémité du timon du Petit Chariot, Véga en haut de la Lyre, le poudroiement lumineux de la Voie lactée… La contemplation des étoiles lui permettait d'habitude de renouer avec son passé paisible d'astrophysicien et de chasser les idées noires. Mais, en cette nuit de novembre, la carte escamotée du ciel ne réussit qu'à rendre palpable l'angoisse qui le rongeait.

En contrebas, quelques voitures filaient dans les rues, lucioles affairées et bruyantes. Les phares se reflétaient dans les vitrines mortes et ondoyaient sur le bitume humide. Des groupes de noctambules, chassés des restaurants, flânaient sur les trottoirs et croisaient les silhouettes fébriles des lève-tôt. Le regard de Mark échoua sur deux hommes qui sortaient de la porte cochère d'un immeuble de l'avenue d'Ivry. D'apparence bourgeoise, le bâtiment abritait un gigantesque tripot contrôlé par la famille Zeng. On y brassait chaque soir des sommes considérables. La passion du jeu agglutinait hommes d'affaires, commerçants, employés et pauvres bougres autour des tables surmontées d'ampoules nues. Des Asiatiques pour la plupart, quelques Antillais, quelques Nord-Africains, quelques Français de souche. Mark s'y était rendu à trois reprises, la première fois pour changer le moteur de sa vieille Lada – gain : 3 000 euros –, la deuxième pour s'offrir un nouveau télescope – perte : 2 500 euros –, la troisième enfin pour financer la réparation du toit de la maison de Joanna, sa grand-mère – gain : 22 000 euros, une moitié pour le toit et l'autre pour le télescope.

L'angoisse, à nouveau. Une sensation d'oppression voisine de ses crises de claustrophobie, en moins aigu. Une semaine qu'il était rentré du Brésil, et Joanna n'avait toujours pas donné de nouvelles. Il lui avait téléphoné dès son arrivée à Roissy : personne. Il avait laissé un message sur son répondeur. Elle n'avait pas rappelé. Ni le premier jour ni le deuxième. Il avait commencé à s'inquiéter. À quatre-vingts ans bien sonnés, Joanna s'absentait rarement de Paris, jamais en tout cas sans prévenir. Il avait joint Fred Cailloux à Boston, où il couvrait un colloque international sur les neurosciences pour la revue *Sciences du XXe siècle*, mais Fred n'avait pas vu Joanna avant son départ pour les États-Unis : « Et je le regrette, elle m'avait touché deux mots de sa nouvelle tarte potiron-gingembre… »

Le soir du deuxième jour, n'y tenant plus, Mark s'était rendu au 23 *ter*, passage des Cinq-Diamants, muni de son trousseau de clés. Il avait exploré de fond en comble le pavillon biscornu, craignant à tout moment de découvrir le corps inerte de sa grand-mère. Rien à signaler. Le capharnaüm ordinaire dans le séjour, la cuisine, la chambre et l'échauguette transformée en minuscule bureau. À en juger par la poussière accumulée sur les meubles et les bibelots, elle était partie depuis un bon moment. Non que Joanna fût une forcenée du ménage, mais, telle que Mark la connaissait, elle aurait au moins nettoyé l'écran de son ordinateur.

Elle aurait dû lui laisser un message, un petit mot griffonné, un texte sur le PC à reconnaissance vocale qu'elle avait acheté six mois plus tôt (avec quel argent d'ailleurs ? Il n'avait jamais su. Le poker, un Quinté Plus, un emprunt…). Une brève inspection de sa garde-robe et de ses valises ne lui en avait pas appris davantage. Personne, surtout pas elle, ne savait exactement ce que contenaient ses penderies et ses armoires. À la recherche d'un improbable indice, il avait fouillé la petite cour intérieure et le trottoir de la venelle pentue que bordait un mur extérieur à moitié recouvert par une vigne vierge. Il était revenu le lendemain matin pour interroger la boulangère, une grosse brune au débit aussi torrentueux que ses bourrelets : « Ça fait plus d'une semaine que j'l'ai pas vue, mon pauvre monsieur, elle ne m'a rien dit, j'sais vraiment pas où c'est qu'elle est… »

Prévenir les flics ? Ils avaient d'autres chats à fouetter que les mamies fugueuses.

Quelque chose était arrivé à Joanna, Mark le sentait dans sa chair. Il ne croyait pas un instant à la stupide « escapade amoureuse… » suggérée par Fred, encore moins à l'improbable « séjour touristique organisé par un quelconque club du troisième âge ». Elle détestait viscéralement les clubs du troisième âge, qu'elle surnommait les RMV, les réunions de morts-vivants, et qu'elle assimilait à un système d'euthanasie lente.

Depuis soixante ans qu'elle vivait dans le culte de Samuel, son génie de mari assassiné à l'âge de trente-cinq ans, elle n'allait pas se prendre d'une passion subite pour un mort-vivant.

Les lumières dispersées de Paris formaient d'étranges constellations traversées par les étoiles filantes des phares, image fractale d'un pan de ciel échoué au pied de la tour. Frigorifié, Mark rentra dans l'appartement et ferma la baie vitrée. Après avoir enfilé son peignoir, il se rendit à la cuisine, remplit d'eau une casserole qu'il posa sur la plaque vitrocéramique, ouvrit le placard où se côtoyaient, parfaitement alignées, une vingtaine de boîtes de thé.

La sonnerie du téléphone, pourtant réglée au minimum, déchira le silence de l'appartement. Il ne lui fallut pas deux secondes pour traverser le séjour et décrocher.

« Joanna ?

— *Sorry*, fit une voix masculine et grasseyante qu'il reconnut instantanément. Toujours sans nouvelles ?

— Tu sais l'heure qu'il est ? gronda Mark.

— Quelque chose comme trois heures du mat', répondit Fred. J'arrive à l'instant de Boston. Ton coup de fil m'a trotté dans la tête. »

Mark laissa passer quelques secondes, le temps de digérer sa déception.

« Je suis en train de me faire un thé. Tu peux passer si tu veux.

— T'as pas moins sinistre que du thé ?

— Il me reste un fond de Glen Morangie.

— Tu sais parler aux amis. »

Fred se présenta une demi-heure plus tard, aussi suant et essoufflé que s'il venait de courir un marathon.

« Ça devient du luxe, le taxi ! maugréa-t-il en se débarrassant de son vieil imperméable. Les chauffeurs râlent contre le projet d'installation des lignes automatiques, mais s'ils veulent conserver leur emploi, ils ont intérêt à revoir leurs tarifs à la baisse et à tirer un peu moins la gueule. »

Fred pestait, ahanait et transpirait quelle que fût la saison, quelle que fût l'heure. Sa chemise blanche était constellée de taches, son ventre distendu et flasque débordait de la ceinture de son pantalon de velours, et cela faisait plusieurs mois que les dents d'un peigne ne s'étaient pas aventurées dans ses cheveux roux. À part ça, il arborait toujours cette bouille ahurie et joviale qui lui donnait des faux airs de Harpo Marx mâtiné de Raimu. Il se rua sur le verre de whisky posé sur la table basse, en avala une bonne rasade, se laissa tomber sur le fauteuil Chippendale et fixa le bout de ses chaussures aux semelles épaisses.

« Pas mal, mes nouvelles Timberland, non ? fit-il d'une voix lasse. Quarante dollars dans un *outlet* de Boston. Une affaire. Sinon, les neurologues sont toujours aussi chiants. Ils passent leur temps à enculer les mouches, une façon comme une autre d'avouer qu'ils n'avancent pas. Comment veux-tu faire un bon papier avec ça ? Dire que j'ai raté le PSG-Juve de la Superligue européenne pour ces conneries… »

Assis sur un siège japonais, Mark garda le silence, les lèvres trempées dans sa tasse de thé. La troisième depuis l'appel de Fred. Deux appliques d'angle diffusaient une lumière douce qui étirait les ombres de la table, des chaises et du divan. Un éclat de voix retentit quelque part, suivi d'un fracas de verre brisé : une nouvelle dispute entre les locataires du dessous, un couple de Laotiens qui se balançaient vacheries et vaisselle à toute heure du jour et de la nuit.

« J'ai réfléchi dans le taxi, reprit Fred. Je reste d'avis que Joanna s'est payé une petite fugue.

— Elle m'aurait appelé.

— Sauf si elle est avec un jules. »

Mark haussa les sourcils et lui lança un regard exaspéré.

« Il n'y a pas d'âge pour tomber amoureux, ajouta rapidement Fred. C'est même la première activité des maisons de retraite. Comme elle a toujours claironné que Samuel serait le seul homme de sa vie, elle a l'impression de le tromper et elle ne s'en vante pas.

— Je n'y crois pas une seconde », fit Mark, le regard sombre.

Fred se servit un nouveau verre de whisky et en vida la moitié avant de se renverser contre le dossier du fauteuil.

« Ta grand-mère et toi, vous vivez depuis trop longtemps en compagnie des fantômes, marmonna-t-il. La vie continue, bon Dieu ! Joanna a le droit de se payer un peu de bon temps. Même à quatre-vingts balais.

— Tout le monde n'a pas la même conception du bon temps.

— La mémoire, le culte des disparus, tout ça c'est bien joli, mais vous poursuivez des mirages. On vient d'entrer dans le XXIe siècle et le monde ne s'est pas écroulé. *Carpe diem*, bordel de merde ! »

Agacé, Mark observa Fred, ses yeux ronds et faussement naïfs, son nez écrasé, ses joues molles, sa gueule pathétique de gargouille d'où pouvaient à tout moment jaillir des paroles cinglantes. Il savait mieux que personne flairer les vérités cachées, s'insinuer dans les failles de ses interlocuteurs. Il n'épargnait que

Joanna, « la grand-mère dont rêve tout homme, tu ne mesures pas ta chance, Mark », à qui il pardonnait tous les caprices.

« Nous sommes prisonniers du passé, murmura Mark. Personne n'échappe au temps psychologique. Pas même toi.

— Oh, moi je suis surtout prisonnier de mon physique, dit Fred avec un sourire amer. Les femmes n'en veulent qu'à mon corps. Un cœur bat pourtant sous cette écorce virile.

— À plus de quatre-vingts pulsations : tu devrais le ménager. »

Fred sortit une cigarette blonde de la poche de sa veste, la planta entre ses lèvres et en plongea l'extrémité dans la flamme d'un briquet.

« Bah, qu'est-ce que je laisserai derrière moi ? soupira-t-il en exhalant une interminable guirlande de fumée. Quelques articles dont tout le monde se contrefout, un deux-pièces délabré dans le douzième, une collection de vinyles de jazz, une foule d'admiratrices éplorées, des organes irrécupérables… Pas de quoi m'élever une statue. Je ne suis pas Samuel Sidzik. »

Ils épuisèrent ainsi le reste de la nuit, devisant de tout et de n'importe quoi. Mark buvait thé sur thé, Fred grillait cigarette sur cigarette tout en vidant consciencieusement la bouteille de whisky. À aucun moment ils ne firent allusion à Joanna, l'un retranché dans une impassibilité hiératique, l'autre chassant son inquiétude à coups de gesticulations forcenées et de saillies assassines.

L'eau et le feu.

Fred ne l'aurait jamais avoué, même sous la torture, mais le côté ténébreux et insaisissable de Mark le fascinait. Il enviait sa sveltesse d'adolescent, l'élégance fluide de ses gestes, le mystère de son visage où, sous les caractéristiques asiatiques dominantes – yeux légèrement bridés, cheveux noirs et lisses, peau cuivrée – se devinaient les ascendances juive, hongroise et russe. Il enviait même son passé, cette trame tissée par l'aventure et le malheur en comparaison de laquelle sa propre histoire, provinciale et sans surprise, paraissait bien terne. Âgé de quarante ans, Mark faisait partie de ces hommes sur lesquels ni le temps ni les soucis ne semblent avoir de prise. Fred, lui, ne comptait plus les blessures infligées par les années, les rides, les dépôts adipeux, les caries, les douleurs musculaires et osseuses, l'essoufflement, l'hypertension, les extrasystoles… Il avait parfois l'impression d'être un vieillard prématuré. Abus d'alcool, de café, de cigarettes, insomnies, bouclages en catastrophe, décalages horaires… Il s'agitait comme un forcené pour, au bout du compte, s'échouer comme un naufragé solitaire dans son petit appartement foutoir du faubourg Saint-Antoine. Putain de vie.

La sonnerie du téléphone le surprit assoupi sur le fauteuil Chippendale. Le petit jour déversait sa grisaille par la baie parsemée de gouttes sinueuses et sales. Il eut à peine le temps de soulever une paupière que Mark, le peignoir à moitié enfilé, était déjà sorti de la chambre pour attraper le combiné. Merde, se dit Fred, vaseux, on lui voit les abdominaux, je devrais acheter un de ces foutus appareils qui…

Une voix féminine à l'autre bout du fil, bien plus jeune que celle de Joanna.

« Suis-je bien chez M. Mark Sidzik ? » répéta la correspondante.

Elle s'exprimait dans un français appliqué et chantant.

« Je suis Mark Sidzik.

— Je vous appelle… euh… de la part de Jean Hébert.

— Jean Hébert ? Vous parlez du biologiste, l'ancien ami de mon grand-père ? »

En entendant ces mots, Fred redevint un journaliste, un chien de chasse. Bondissant sur le téléphone, il pressa la touche du haut-parleur et augmenta le volume. Pendant quelques secondes, le souffle oppressé de la correspondante parut emplir toute la pièce.

« Le professeur Hébert veut vous rencontrer de toute urgence, reprit-elle.

— Je croyais qu'il était en Inde…

— Je vous appelle d'Inde. De Bangalore, plus précisément.

— Qui êtes-vous ?

— Indrani Satyanand, l'une des assistantes du professeur Hébert. Il souhaite vous voir à Bangalore le plus tôt possible.

— Le téléphone ne suffit pas ?

— Il doit vous remettre quelque chose en main propre. »

Mark lança un regard perplexe à Fred.

« Qu'est-ce que c'est que cette histoire ? »

Une vague grésillante submergea la voix de la correspondante.

« … pas possible de vous l'expliquer par téléphone, monsieur Sidzik.

— Pourquoi Hébert ne m'a-t-il pas lui-même contacté ? »

Nouvelle hésitation à l'autre bout du fil. La respiration de la correspondante siffla dans l'amplificateur, haletante. Un souffle d'animal traqué.

« Il s'est réfugié chez des amis. Je vous appelle d'une cabine.

— Pourquoi réfugié ?

— Il vous le dira lui-même.

— Quand ?

— Le plus tôt possible. »

D'un geste péremptoire de la main, Fred pressa Mark de poser d'autres questions.

« Une petite minute. Je dois savoir…

— Un vol d'Indian Airlines part de Roissy dans quatre heures à destination de Bombay. Il reste encore des places. De là, vous pourrez prendre une correspondance immédiate pour Bangalore.

— Je ne peux pas me libérer comme ça, figurez-vous ! J'ai un tas de choses à…

— Un chauffeur de taxi vous attendra à l'aéroport de Bangalore. Il a votre signalement. Le professeur Hébert vous attend, monsieur Sidzik. L'enjeu est grave. Très grave.

— Attendez ! La conne ! Elle a raccroché… »

Les deux hommes restèrent immobiles jusqu'à ce que Fred allume une cigarette. Les rayons du soleil matinal se faufilaient entre les nuages déchirés et déversaient leur or pâle sur le parquet blond du séjour, seul luxe de l'appartement de Mark. La tour s'éveillait, résonnait de ses cris et de ses bruits familiers, contrepoints allègres et discordants du bourdon grave de Paris.

Mark resserra d'un geste sec la ceinture de son peignoir.

« Qu'est-ce que tu en penses ? »

Fred tira sans conviction sur sa cigarette avant de l'écraser dans le cendrier avec une moue de dégoût.

« Vraiment dégueulasses, les clopes avant le petit déj… Hébert passe pour un farfelu dans le milieu de la biogénétique. Mais il est brillant, et il faut parfois être un peu barge pour faire bouger les choses.

— Tu me conseilles d'y aller ? »

Fred haussa les épaules : il lui fallait d'urgence une bonne dose de caféine et de nicotine pour s'orienter dans le labyrinthe de ses pensées.

« Je ne peux pas y aller si je ne sais pas où est passée Joanna », ajouta Mark.

Il fixa Fred d'un air soupçonneux.

« Telle que je la connais, elle s'est forcément confiée à quelqu'un…

— Eh, me regarde pas comme ça ! protesta mollement Fred. J'étais à Boston.

— Elle est partie bien avant que tu n'ailles à Boston. »

L'accusé Cailloux se redressa, rajusta sa veste, sa chemise, se peigna avec les doigts, fit quelques pas en direction de la baie vitrée et s'absorba dans la contemplation de la mosaïque gris et bleu du ciel. Sept heures à Paris, minuit à Boston, il commençait à ressentir les effets du décalage horaire.

« Bon, d'accord, elle m'a touché deux mots d'une petite virée en Asie », concéda-t-il d'une voix à peine audible. Il sentit sur sa nuque la brûlure du regard de Mark. « Elle m'a fait jurer sur ta tête de ne pas t'en parler.

— Elle a plus de quatre-vingts ans, merde !

— Qu'est-ce que tu voulais que je fasse ? J'étais coincé entre le marteau et l'enclume. Quand vous vous y mettez, vous, les Sidzik… »

« — Qu'est-ce qu'elle t'a dit exactement ? coupa Mark.

— Juste qu'elle partait pour quelques jours en Orient et qu'elle espérait être rentrée avant ton retour. Tu me connais : j'ai essayé de la cuisiner, mais elle m'a envoyé gentiment balader. Au cas où tu ne le saurais pas, elle est quatre ou cinq fois majeure…

— Elle n'est pas rentrée, Fred… »

Fred se retourna. Il y avait tant de détresse dans le regard de Mark qu'une bouffée de remords l'envahit. Mark s'était toujours efforcé de bannir le hasard du champ de son existence. Une obsession chez lui, y compris dans sa manière de jouer au poker, où il remplaçait les notions aléatoires de chance ou de jeu par les données statistiques et les calculs de probabilités. Une obsession qui puisait sa source dans un passé douloureux : trop de morts suspectes avaient jalonné l'histoire de sa famille. Son grand-père, d'abord, assassiné en 1945 – l'enquête officielle avait conclu à un suicide –, puis ses parents, tués dans un curieux accident de voiture alors qu'il venait d'atteindre ses six ans. La disparition de sa grand-mère, sa seule référence affective durant son enfance, survenait comme un nouvel aléa de la malédiction qui semblait s'acharner sur les Sidzik.

« Je vais faire du thé, fit-il d'une voix rageuse.

— Café pour moi, si ça ne te dérange pas… »

Tandis que Mark se dirigeait vers la cuisine, Fred consulta machinalement l'écran de son téléphone portable. Trois messages encombraient la boîte vocale. Le premier émanait d'un collègue journaliste perdu dans le bush australien ; le deuxième de Florence, son ex-maîtresse qui l'avait plaqué dix ans plus tôt mais qui venait régulièrement le relancer entre un grand amour défunt et un grand amour à naître ; le troisième de… Joanna.

Il rejoignit Mark dans la cuisine et lui tendit son portable sous le nez.

« Écoute ça. »

Mark se pétrifia, comme s'il craignait que le moindre de ses mouvements ne souffle la voix fragile qui s'élevait du minuscule haut-parleur. *« Fred, dites à Mark de ne pas s'inquiéter pour moi. Je vais très bien, je m'amuse comme une folle. Je rentrerai bientôt. Je vous embrasse tous les deux. »*

Mark resta pendant quelques secondes immobile avant de rincer la théière.

« Elle aurait pu appeler chez moi !

— Tu l'aurais engueulée. Elle n'avait pas envie de se gâcher le plaisir. Le café, serré s'il te plaît.

— En attendant, réserve-moi un billet sur Indian Airlines.

— Les bureaux sont fermés à cette heure-ci…

— Essaie !

— Qui paie ?

— Prends ma carte bancaire dans la poche de mon manteau. »

Fred fit sa réapparition vingt minutes plus tard dans la cuisine aux meubles neutres et fonctionnels. Il s'attabla, se versa une première tasse de café, l'avala d'un trait, s'en versa une deuxième, se coupa une tranche de pain complet – « J'aurais préféré une baguette bien fraîche ! » –, y étala du beurre de sésame et de la confiture – « T'as jamais entendu parler du bon vieux beurre demi-sel ? ».

Mark le regarda se goinfrer en silence.

« J'ai eu le comptoir d'Indian Airlines à Roissy, dit Fred, la bouche encore pleine.

« — Alors ?

— Il reste des places dans le prochain vol. Pas besoin de visas. On a deux heures pour aller à Roissy.

— On ?

— Je viens avec toi.

— Et ton journal ? Ton papier sur les neurosciences ?

— Je trouverai bien un PC et un modem à Bangalore. Tu connais la meilleure ? J'ai appelé cet enfoiré de Gozic, le rédac-chef de *Sciences en Tête*. Je lui ai dit que j'étais sur un coup fumant en Inde. Et que j'étais accompagné par un spécialiste. Gozic est radin, mais il a toujours la trouille d'être devancé par les concurrents. Résultat : nos frais sont entièrement couverts par son canard. Pas mal, hein ?

— Quel coup fumant ?

— L'assistante d'Hébert a parlé d'un enjeu très grave. Ça sent bon le scoop. Et si ça foire, je trouverai bien quelque chose à raconter sur le thème : l'Inde, géant du XXIe siècle, archaïsme et modernité, saddhus et bombe atomique, Védas et informatique moléculaire, etc. Gozic fera la gueule, de toute façon. Et toi, tu préviens Salinger ?

— Je le ferai de là-bas, répondit Mark. De toute façon, il sait bien que si je m'absente, c'est que j'ai de bonnes raisons. »

Il consulta la pendule murale de la cuisine.

« Au fait, te crois pas obligé de m'accompagner...

— S'emmerder ici ou à Bangalore. Et puis, la voix de cette nana, Indrani, elle m'émoustille...

— Tu veux passer à ton appartement avant de partir ?

— Pas la peine, j'achèterai tout sur place. »

Une heure plus tard, douchés, rasés, ils s'engouffraient dans l'ascenseur après avoir commandé un taxi. Au rez-de-chaussée, ils croisèrent Lahn, la fille des gardiens de l'immeuble. Mark remonta le col de son manteau et traversa le sinistre hall au pas de course, mais la petite Chinoise, aussi vive qu'une chatte, réussit à le rattraper.

« J'allais monter chez toi, dit-elle en fixant son sac de voyage.

— Pas le temps, grommela Mark. Un avion à prendre. »

Elle chercha de l'aide dans le regard de Fred, qui lui retourna son sourire le plus niais. Elle était particulièrement jolie dans son ample imperméable noué à la hâte et sous lequel elle ne portait visiblement pas grand-chose. La pâleur de son visage, rehaussée d'un rose délicat, tranchait délicieusement sur le noir profond de ses yeux et de ses cheveux.

« Je voulais... euh... t'avertir que les travaux dans la tour recommenceront demain après-midi.

— Merci de me prévenir, je ne sais pas lire, marmonna Mark en désignant l'avis de travaux affiché sur un mur.

— Excuse-moi, souffla-t-elle. Bon voyage. »

Elle se mordit les lèvres, se détourna avec brusquerie et fila comme une voleuse en direction de la loge.

Ils sortirent dans l'avenue d'Ivry pour y attendre le taxi. Un vent humide charriait les nuages bas et lourds entre les toits, jouait dans les parapluies et les vêtements des piétons, dispersait les odeurs familières du quartier chinois.

« Elle est vraiment raide dingue de toi, murmura Fred.

— Ce n'est qu'une gamine.

— Elle est majeure. Je serais à ta place…

— Tu n'es pas et tu ne seras jamais à ma place. »

Le ton glacial de Mark dissuada Fred de s'appesantir sur le sujet.

3

Mark et Fred avaient atterri à Mumbai (ex-Bombay) aux alentours de minuit, heure locale. Après les redoutables formalités douanières – qui n'a pas vu un douanier indien recopier trois fois de suite un passeport avec une nonchalance étudiée ne sait pas vraiment ce que signifie le mot patience –, ils avaient sauté dans un taxi pour gagner Santa Cruz, le terminal des vols intérieurs. Quatre kilomètres à travers le bidonville, une heure de trajet, compteur en panne, mille deux cents roupies, vingt euros : « On a vite fait de paumer son temps et son fric dans le coin ! » avait râlé Fred en se délestant de deux billets de dix euros.

Mark ne connaissait de l'Inde que la région de Delhi et une partie du Cachemire. La chaleur et l'odeur suffocante de Mumbai l'avaient saisi comme une gigantesque main moite. Malgré la densité du trafic, ils étaient arrivés à temps pour prendre le vol à destination de Bangalore, opportunément en retard de deux heures. Les passagers, plus nombreux que les places disponibles, avaient rencontré de sérieuses difficultés à s'entasser dans le vieux 727 de l'Indian Airlines. Ni les sourires des hôtesses vêtues de saris, ni le thé, ni les sucreries, servis à volonté n'étaient parvenus à dissiper la mauvaise humeur de Fred. Le manque de sommeil commençait à lui vriller les nerfs et il ne parvenait pas à s'endormir sur les sièges étriqués des avions. Il avait pesté contre Gozic, « ce rat d'égout qui fait toujours voyager ses pigistes en classe économique », puis il s'était pris de bec avec un autre râleur, un Français, le patron d'une petite entreprise informatique qui s'en allait visiter la Silicone Valley de Bangalore et qui prétendait les empêcher, Mark et lui, d'abaisser leurs sièges en position couchée.

« Pratiquement trois heures de retard, marmonna Fred en jetant un coup d'œil sur la pendule murale. J'espère que le chauffeur nous a attendus. »

Le flot tumultueux des voyageurs les avait déposés dans la salle des arrivées où des ventilateurs aussi larges que des pales d'hélicoptères tournaient au ralenti, remuant une tiédeur émolliente et imprégnée d'une odeur indéfinissable. Des lézards translucides grouillaient par dizaines autour des néons inutilement allumés. Des nuées de rabatteurs, vêtus de chemises et de lungi colorés, bourdonnaient comme des moustiques autour des touristes et des hommes d'affaires occidentaux. Plusieurs chauffeurs de taxi proposèrent à Mark et à Fred, avec une insistance quasi hystérique, de les conduire aux hôtels du quartier de MC Road, « *verry good, misterrr, with TV, bathroom, special price for you, came on, please, give me yourrr bag…* ». L'un d'entre eux tenta même de saisir la lanière du sac de Fred, mais, devant sa mine teigneuse, il jugea plus prudent de tourner les talons et de jeter son dévolu sur une proie moins hérissée.

« Faut que je trouve une banque, bougonna Fred. Il ne me reste qu'une centaine de dollars. En plus, je meurs de faim.

— Pas question de bouger d'ici. »

Fred lança un coup d'œil venimeux à Mark. Il admirait le plus souvent son impassibilité tout asiatique, mais, après deux jours et deux nuits sans sommeil, après treize heures d'avion (sans compter les sept heures entre Boston et Paris ainsi que le double vertige du décalage horaire), il n'était pas d'humeur à patienter. Soufflant, pestant, il retira son épaisse veste de laine, dégrafa deux boutons de sa chemise maculée d'auréoles et s'éventa du plat de la main.

« Combien de mois tu comptes l'attendre, exactement ? soupira-t-il.

— C'est notre seul contact. On n'a pas le choix.

— Et s'il ne vient pas ? Après tout, on ne sait rien de cette Indira…

— Indrani. Et personne ne t'a obligé à venir. »

L'agacement perçait dans la voix de Mark. Il chassa un jeune rabatteur d'hôtel avec une agressivité qui ne lui ressemblait pas. Des annonces suraiguës en kannada et en anglais déchiraient le calme relatif qui retombait peu à peu sur les lieux.

« Il y a sûrement un consulat à Bangalore, ou une Alliance française, insista Fred. Jean Hébert est un biologiste réputé. Pas besoin d'un contact pour retrouver l'adresse de son labo !

— Et qui nous donnera l'adresse des amis chez qui il s'est réfugié ? »

Du menton, Fred désigna le bar du fond de la salle.

« Si je ne prends pas un café dans les dix secondes, je m'évanouis. »

Il s'éloigna de sa démarche dandinante en direction du comptoir. Mark ne chercha pas à le retenir. Fred était parti d'un bon sentiment en lui proposant de l'accompagner en Inde, mais sa présence, déjà encombrante en temps ordinaire, risquait de devenir insupportable dans un pays qui accordait une telle place à l'irrationnel.

Mark posa son sac à ses pieds et retira son manteau. Les rayons rose pâle du soleil s'infiltraient par les immenses baies et formaient des colonnes inclinées de lumière à l'intérieur desquelles poudroyaient les particules en suspension.

« *Mister* Sidzik ? »

Mark se retourna. Devant lui se tenait un Indien vêtu d'un lungi imprimé jaune et d'une chemise à rayures verticales. Sans âge, moustache et cheveux gris, dents d'un blanc éclatant, gencives presque noires. Il mâchait du *paan*, un mélange de noix d'arec, d'épices et de chaux dans une feuille de bétel. Il détourna la tête et vomit un long jet rougeâtre qui s'écrasa en flaque luisante sur le carrelage. Un peu partout, des corolles rouille plus ou moins effacées indiquaient que ce genre de pratique relevait de l'obsession nationale.

« Taxi. Envoyé par Carnatic Bio Tech. Pour conduire vous Radnapoor.

— La Carnatic Bio Tech ?

— Compagnie *Mister* Hébert.

— Comment m'avez-vous reconnu ?

— *Picture*, photo, fit l'Indien avec un large sourire.

— Qui vous a montré cette photo ? »

L'Indien remua la tête, un geste à la fois gracieux et embarrassé qui signifiait qu'il n'avait pas l'intention de répondre à cette question. Ou qu'il ne l'avait pas comprise. Difficile de déchiffrer ses intentions dans son regard insaisissable.

« Partir maintenant, *many cars, big traffic*…

— Je ne suis pas seul », dit Mark en désignant la silhouette de Fred, avachie sur le comptoir.

L'Indien fronça les sourcils.

« Un ami, ajouta Mark. *A friend of mine.*

— *Acha, acha… My name* : Ramesh. »

Fred était en train de boire son troisième café d'affilée et de manger une confiserie translucide, un *gajar ka halwa*, qu'il trempait dans sa tasse comme un morceau de baguette ou un croissant. Il régla ses consommations lorsqu'il vit Mark et le chauffeur se diriger vers lui. Le serveur empocha avec vivacité le billet de dix euros et dit, dans un anglais à couper au couteau, qu'il n'avait pas de monnaie.

« *Please wait, mister, I give you your change in a few minutes.* »

Fred ouvrit la bouche pour protester, mais Mark le saisit par le bras et l'entraîna vers la sortie sans lui laisser le temps de finir sa tasse ni de réclamer son dû.

« Dix euros pour trois cafés imbuvables et un truc immangeable ! grogna-t-il. À force d'être pris pour un pigeon, je vais finir par roucouler. »

Ramesh les conduisit sur le parking – un grand mot pour désigner l'immense espace vaguement goudronné où s'entassaient pêle-mêle les véhicules les plus hétéroclites. Des senteurs épicées flottaient entre les odeurs plus lourdes d'essence, de lubrifiant, de déjections animales. Assis à même le sol au milieu des pièces de cuir et des monticules de pneus, des cordonniers demi-nus apostrophaient les passants pour leur proposer de cirer ou de réparer leurs chaussures.

L'Indien saisit le sac de Mark, le jeta dans le coffre d'une Hindustan garée en double file et dont le délabrement apparent soulevait de sérieux doutes sur sa capacité à rouler, leur ouvrit les portières arrière et s'installa au volant.

« Où est-ce qu'on va ? demanda Mark.

— Radnapoor. Ashram… »

Il n'existe pas de mot pour décrire la conduite indienne.

La route entre l'aéroport et la banlieue de Bangalore est une double voie truffée de nids-de-poule. Ses suspensions étant mortes, l'Hindustan effectuait de véritables bonds, et le bas de la caisse raclait régulièrement le bitume dans un grincement horripilant. Ignorant l'usage du clignotant, Ramesh passait parfois la main par la vitre avant de déboîter subitement, sans tenir compte des véhicules lancés à tombeau ouvert sur la voie de gauche. Lorsqu'il daignait jeter un coup d'œil à son rétroviseur, c'était uniquement pour adresser un sourire joyeux à ses deux passagers. En cas de ralentissement soudain, il se dressait presque à la verticale au-dessus du volant pour appuyer de tout son poids sur la pédale de frein, comme un cavalier se dressant sur ses étriers et s'arc-boutant sur ses rênes.

« Bordel, ce mec va m'achever », gémit Fred, au bord de la nausée.

De temps à autre, au détour d'un virage, entre les frondaisons frissonnantes, apparaissaient les enseignes des grands noms de l'industrie informatique mondiale, AT & T, Motorola, IBM, Texas Instruments, Sony, Daewoo, Hitachi… L'Hindustan s'englua dans un trafic de plus en plus dense. Mark eut alors tout le loisir de constater que Bangalore avait grandi trop vite. Hormis les bâtiments des parcs technologiques, dont la rigueur géométrique se voulait un hymne à une modernité déjà obsolète, les constructions s'étaient empilées au hasard le long des artères, selon les besoins du moment. Victime de sa réputation de

Silicone Valley indienne, Bangalore était brutalement passée du statut d'ancienne ville de garnison anglaise à celui de phare économique du Karnataka, un mirage occidental qui prenait des allures de cauchemar.

Il leur fallut plus d'une heure pour franchir les neuf kilomètres et les innombrables ronds-points qui séparaient l'aéroport de la banlieue. Assommés par la chaleur, par le grondement assourdissant du moteur, Mark et Fred n'échangèrent pas un mot.

« Route de Nandi Hills, hurla Ramesh en tournant brusquement à gauche sous le nez d'un bus. Radnapoor, quarante kilomètres. *One hour, may be two.* Professeur Hébert attendre vous là-bas. »

L'Hindustan avançait au ralenti sur la route en piteux état. Après avoir traversé les miroirs piquetés des rizières encadrées de massifs forestiers, ils s'étaient lancés sur le ruban sombre et défoncé qui s'enroulait autour des reliefs. La mousson s'était retirée depuis peu, abandonnant derrière elle une végétation extravagante et une terre gorgée d'eau. Ramesh roulait en permanence sur la voie de gauche, doublant des troupeaux de buffles, des norias de charrettes chargées de fourrage, de noix de coco ou de cannes à sucre. Le soleil voilé enflammait le ciel de nickel et les voiles brumeux qui escamotaient les collines.

Sur les parvis des temples encore engoncés dans les coulées de boue de la mousson, se dressaient des statuettes ornées de guirlandes de fleurs et devant lesquelles des hommes, des femmes et des enfants déposaient des offrandes. Ramesh surprit les regards intrigués de ses deux passagers.

« *Big feast of Diwali*, cria-t-il à tue-tête. *Today*, fête de Lakshmi, déesse de fortune, richesse. *To-morrow*, nouvel an jaïn. Moi, pas jaïn, *no*, *no*, catholique, Jésus-Christ. Moi, venir de Goa. »

Il souligna sa remarque d'un clin d'œil entendu.

« Laisse tomber, je suis pas catholique, lâcha Fred. Ni jaïn, ni bouddhiste, ni musulman. Un simple accident biologique, comme tout le monde. »

L'Indien lui lança un regard sévère dans le rétroviseur.

« Impossible, *mister*. Pas Dieu, pas monde.

— Eh non, mon vieux : pas monde, pas Dieu.

— Vous m'avez tous les deux l'air bien sûrs de vous, intervint Mark. Pourtant, il y en a un de vous qui se trompe...

— Lui, forcément ! » gloussa Fred.

Mark n'insista pas. Il se pouvait aussi que les deux aient raison. À en croire la physique quantique, il n'existait pas de certitude, pas de vérité absolue.

Radnapoor n'était pas un village, mais un ensemble de constructions blanches nichées au sommet d'une colline ensevelie sous la brume. D'immenses pancartes plantées sur le bord de la route annonçaient aux visiteurs, en plusieurs langues, qu'ils pénétraient dans l'ashram de Sa Sainteté Sri Ananda Saraswati.

« Il y a eu du grabuge dans le coin », dit Fred.

Il désignait les camions bâchés, les Jeeps, les ambulances, les voitures vert et blanc, qui bloquaient l'entrée de l'ashram. Une vieille compagne, l'ombre glaciale et froide des mauvais jours, vint se percher sur l'épaule de Mark. La première fois qu'il avait ressenti sa présence, c'était à l'âge de six ans, quelques heures avant que Joanna ne lui annonce la mort de ses parents.

Un hélicoptère s'éleva au-dessus des toits et dispersa les nuées de corbeaux et de vautours avant de s'évanouir dans la grisaille. Une multitude de policiers, de soldats et de secouristes s'affairaient entre les bâtiments regroupés autour d'un parc arboré et fleuri.

Ramesh gara l'Hindustan sur une allée de terre rouge. Ils se précipitèrent vers l'entrée principale, mais des soldats casqués et armés de fusils leur barrèrent le passage.

« Bon Dieu ! s'exclama Fred en agrippant le bras de Mark. C'est une vraie boucherie. »

Les secouristes alignaient des corps ensanglantés le long d'un mur criblé d'impacts. Ramesh dut palabrer une dizaine de minutes avec les soldats avant que l'un d'eux ne condescende à aller chercher un officier, un homme au ventre gonflé de suffisance.

« J'espère que tu n'as pas eu l'idée saugrenue d'emporter la vieille pétoire de ton grand-père », chuchota Fred à l'oreille de Mark.

On les laissa passer à l'issue d'une fouille brutale et d'une vérification pointilleuse de leurs passeports. Ils franchirent l'arche arrondie de l'entrée et coururent vers les cadavres regroupés le long du mur du bâtiment principal. Ramesh passa en revue tous les corps, soulevant parfois un pan de sari pour examiner un visage.

« Mitraillés à bout portant », lâcha Fred, livide, en montrant les larges impacts des balles sur les visages, les poitrines et les ventres.

Occidentaux et Indiens, hommes et femmes, vieux et jeunes arboraient la même expression de surprise et de terreur. Certains n'avaient pas eu le temps de s'habiller avant l'irruption des assaillants. Les soldats étalaient des couvertures sur des corps partiellement ou entièrement nus. Les mouches bourdonnantes, agressives, s'agglutinaient par essaims entiers dans les chairs déchirées.

« Est-ce que le professeur Hébert… ? », commença Mark.

Ramesh secoua la tête. Contrairement à ses deux passagers, l'Indien ne semblait pas vraiment horrifié par ce champ de cadavres, plutôt préoccupé. Au centre du jardin, qui avait dû être un havre de paix, se dressait une grande salle ouverte au dôme de verre étayé par des piliers ronds. De longues traînées pourpres maculaient les marches, le plancher de bois rouge, les couvertures de soie et les coussins éparpillés.

« *Meditation room* », précisa Ramesh.

Les chants d'oiseaux se glissaient entre les grondements des hélicoptères, les cris des soldats et les gémissements des blessés. Alentour, les collines estompées par la brume veillaient sur l'ashram comme des spectres figés. La brise matinale ne parvenait pas à disperser l'odeur suffocante du sang.

« Et le fondateur de l'ashram ? demanda Mark. Vous l'avez reconnu parmi les victimes ? »

Ramesh examina le cadavre d'une femme, une Occidentale, avant de tourner vers Mark un visage perplexe.

« *I don't understand.*

— Sa Sainteté, *His Holiness*…

— *Oh, no, no.* Lui partir voyage États-Unis, Europe. *For business, money.*

— Et la femme qui m'a appelé à Paris ? Indrani… »

Ramesh haussa les épaules.

« *I don't know…* »

Ils explorèrent le bâtiment des chambres. L'odeur du sang paraissait sourdre directement des murs. Ramesh s'arrêta devant le corps d'un vieil homme allongé en travers du couloir central, vêtu d'un unique caleçon et figé dans une étrange position, une macabre découverte qui, cette fois, parut frapper l'Indien d'horreur.

« *Mister* Hébert…

— Putain ! » souffla Fred, la main plaquée sur le nez et la bouche.

Une balle avait transpercé de part en part le cou de Jean Hébert, une autre lui avait perforé le cœur, une troisième lui avait déchiqueté l'entrejambe. La jeunesse apparente du biologiste avait quelque chose d'étonnant, voire de choquant : il avait dépassé les quatre-vingt-dix ans, mais son corps svelte, sa chevelure grise et fournie, son visage lisse étaient ceux d'un homme de soixante ans, soixante-cinq ans tout au plus. Fred croisa le regard de Mark et devina que leurs pensées convergeaient : à plus d'un demi-siècle d'intervalle, Hébert avait connu la même fin tragique que Samuel. Comme si la malédiction de Los Alamos, après avoir frappé la famille Sidzik, s'étendait maintenant aux anciens amis, aux anciens confrères. Mark n'avait jamais rencontré Hébert, mais savoir qu'il avait connu Samuel suffisait à nouer un lien intime et à l'emplir de tristesse et de colère.

« J'ai bien peur qu'on soit venus pour rien, chuchota Fred. On ne saura jamais ce qu'il voulait te refiler. »

Deux secouristes écartèrent Ramesh sans ménagement, saisirent le corps de Jean Hébert par les aisselles et par les pieds, le soulevèrent et le transportèrent à l'extérieur.

« *His room…* »

L'Indien montrait la porte fracassée d'une chambre. Un autre cadavre gisait au pied du lit, une Occidentale à la peau claire, jeune, nue, couverte de mouches, le crâne en partie disloqué, les mèches blondes collées par le sang séché aux tempes et aux joues.

« Vous la connaissiez ? demanda Mark.

— *American girl.* Elle travailler ashram pour Sri Ananda. »

Le regard de Ramesh se durcit. Pendant quelques secondes, il parut sur le point de cracher sa colère et son mépris à la face de la morte.

C'était le même spectacle de désolation dans les autres bâtiments, la même puanteur de boucherie, y compris dans la grande salle informatique. En revanche, les ordinateurs moléculaires, les écrans, les vidéocams, les scanners, les imprimantes, le générateur électrique n'avaient subi aucune déprédation.

« Qui a bien pu faire ça ? grimaça Fred, de plus en plus pâle.

— *Dalit*, marmonna Ramesh.

— Dalit ?

— Intouchables… »

Incapable de contenir plus longtemps sa nausée, Fred s'éclipsa, laissant Mark et Ramesh en tête à tête dans le local technique éclairé par les lueurs changeantes des moniteurs. Les éclats de voix dominaient de temps à autre le grésillement ténu des connexions électriques. Ramesh s'assit sur le coin d'un bureau et contempla d'un air absent les figures géométriques qui s'entrelaçaient en boucle sur le fond noir d'un écran ultraplat.

« Les Intouchables ont l'habitude de ce genre de massacre ? » demanda Mark.

Les rayons du soleil déchirèrent le rideau de brume et tombèrent sur l'ashram. La température augmenta brusquement de plusieurs degrés. L'air devint irrespirable. Ramesh s'éventa du plat de la main avant de répondre :

« Pas tous. Parti du Dalit, *only*. Ceux-là, *muslims*, fanatiques, terroristes. »

Des soldats firent irruption dans le local, treillis maculés de terre et de sang. Ils s'adressèrent en kannada à Ramesh, puis, en anglais, prièrent Mark de quitter les lieux : des scellés allaient être apposés sur la porte du local informatique, désormais réservé aux investigations des spécialistes de la police et de l'armée.

Les deux hommes rejoignirent Fred dans le jardin où les secouristes continuaient d'aligner les corps. Le soleil aiguillonnait l'ardeur des insectes. Assis sur un banc de pierre, la tête rentrée dans les épaules, Fred tirait comme un forcené sur sa troisième cigarette consécutive. Ramesh alluma une Beedi et fit quelques pas dans une allée bordée de massifs fleuris.

« Sacré bordel ! ronchonna Fred. Résumons-nous : le biologiste Jean Hébert t'a fait venir dans le coin pour te remettre quelque chose de précieux. Vraisemblablement une banque de gènes qu'il aura voulu mettre à l'abri des convoitises. Hébert a été assassiné, la fille qui t'a appelé a sans doute connu le même sort, et on se retrouve tous les deux comme des cons dans un putain d'ashram transformé en morgue. »

Il écrasa rageusement sa cigarette sur les gravillons de l'allée. Il avait dégrafé trois boutons de sa chemise. Quelques poils roux parsemaient la peau de son torse, d'une blancheur de craie.

« Nom de Dieu, cette odeur est insupportable ! poursuivit-il. Ça ne tient pas : ces bouchers n'auraient tout de même pas massacré plus de cent paumés pour mettre la main sur une poignée de gènes ?

— Peut-être bien que si, soupira Mark. Les hommes se sont bien entre-tués pour le pétrole au XXe siècle. Les gènes, c'est l'or vert du XXIe siècle… »

Un hélicoptère décolla dans un tourbillon de poussière rouge.

« Ouais… Hébert a dû soulever un énorme lièvre. Je me demande dans quel merdier on a mis les pieds. »

À cet instant, l'un des deux secouristes qui transportaient une civière dans une allée voisine laissa échapper son brancard. Mark croisa son regard lorsqu'il se pencha sur le corps qui avait roulé dans un massif fleuri, un regard aigu, fiévreux, comme deux puits de haine dans les angles d'un visage tourmenté, grêlé. Les deux brancardiers s'éloignèrent après avoir replacé le cadavre sur la civière.

« *Mister ! Mister !* »

Ramesh courut vers le banc de pierre et tendit sous le nez de Mark un petit appareil en PVC jaune et serti d'un minuscule écran. Une version locale des messageries électroniques qui étaient tombées en désuétude en Occident. Seuls les dealers et indics continuaient d'utiliser, pour leur discrétion, les descendants dégrossis des ancêtres Tatoo et autres alphapage.

« Mrs Indrani… »

Il s'interrompit pour balayer les environs d'un regard furtif.

« Elle, pas morte, reprit-il à voix basse. Envoyer message. Attendre nous *Old Bangalore*. »

Contrairement à sa banlieue fourvoyée dans l'illusion du modernisme, le cœur de Bangalore continuait de battre au rythme lancinant de l'Inde traditionnelle. Piétons, vélos, triporteurs, scooters, bus, camions, attelages, vaches, se croisaient dans une symphonie chaotique de couleurs, d'odeurs et de bruits. Des relents d'épices montaient des *karaï*, les énormes poêles posées sur des réchauds antédiluviens. Des hommes déchargeaient des légumes et des fruits de charrettes tirées par des buffles. Des conducteurs de rickshaws, parfois très âgés, s'arc-boutaient de tout leur poids sur leurs pédales pour faire avancer leur engin alourdi par le soleil de plomb et les écoliers en uniforme entassés sur les banquettes.

Fred s'était assoupi au bout de quelques minutes sur la route du retour, mais Mark, malgré sa fatigue, n'avait pas réussi à s'abandonner au sommeil. Les images du carnage de l'ashram le hantaient. L'ombre était revenue se jucher sur son épaule, de plus en plus oppressante. Il n'avait jamais cherché à plaquer d'explication rationnelle sur ce phénomène – une sorte de matérialisation de ses prémonitions ? Il n'en avait parlé à personne, ni à Fred ni même à Joanna. Il constatait seulement que l'ombre apparaissait, plus ou moins dense, plus ou moins froide, chaque fois que la mort rôdait près de lui.

« Fort de Tipu Sultan, dit Ramesh en désignant une enceinte fortifiée. *Here, City Market, old town.* »

L'Hindustan s'engouffra dans une ruelle étroite et se fraya un passage difficile dans le grouillement démentiel. Une petite mendiante passa la tête par la vitre entrouverte et tendit une main aux doigts rongés sous le nez de Fred. Ramesh l'éloigna d'un coup de gueule.

Des enfants se faufilaient au milieu de la foule en portant avec une adresse stupéfiante des plateaux surchargés de récipients en argile – du tchai, un thé au lait épicé. Bloqué par plusieurs charrettes, Ramesh finit par garer sa voiture le long d'un trottoir, ouvrit le coffre, tendit son sac et son manteau à Mark.

« Marcher. Pas loin, maintenant. »

Les trois hommes traversèrent un passage couvert et bordé de boutiques qui débouchait, une cinquantaine de mètres plus loin, sur une large avenue. Après avoir failli se perdre vingt fois dans la cohue, ils pénétrèrent dans une cour intérieure pavée de dalles en partie descellées par les racines d'un banian plus que centenaire. Sous les larges branches, un homme au torse nu barré par un cordon doré distribuait des bonbons à une grappe d'enfants.

Ils s'engagèrent dans un escalier de pierre et s'arrêtèrent au deuxième étage devant une porte en bois massif. Ramesh sonna à quatre reprises. Le visage d'une vieille femme, vêtue d'un sari dont la blancheur contrastait avec sa peau presque noire, apparut dans l'entrebâillement. Après avoir lancé un bref coup d'œil dans la cage d'escalier, elle s'effaça pour les laisser entrer dans un vestibule plongé dans un clair-obscur diffus. Elle referma soigneusement la porte derrière eux et tira les deux énormes verrous qui la barraient de part en part.

Fred décolla les pans de sa chemise collés à son ventre par la transpiration.

« Putain de matière synthétique : elle est peut-être indéfroissable, mais c'est pire que de la glu ! Je donnerais n'importe quoi pour prendre une douche. Je me demande ce qu'on branle dans ce trou… »

Mark se le demandait également. Depuis le premier atterrissage à Mumbai, il avait l'impression de se débattre dans un cauchemar.

Un froissement attira son attention. Une jeune femme s'avançait vers eux. Une Indienne, la trentaine, plutôt petite, d'une beauté saisissante, vêtue d'un salwar traditionnel, pantalon resserré aux chevilles, longue tunique de soie sauvage, écharpe dorée. Cheveux huilés et rassemblés en natte, peau mate, lèvres brunes et pleines. Des yeux immenses, couleur de terre brûlée, troublés. Troublants.

« Je pensais que vous viendriez seul, monsieur Sidzik… »

Ils reconnurent instantanément sa voix.

« Fred Cailloux, un ami, dit Mark. Vous êtes Indrani Satyanand ? »

Elle acquiesça d'un clignement de cils. Mark posa son manteau sur le dossier du canapé de style anglais qui trônait au centre du vestibule.

« Une question, attaqua Fred sans préambule. Vous êtes au courant de ce qui s'est passé à Radnapoor ?

— J'y étais au moment où les Intouchables ont lancé leur attaque.

— Pourquoi n'avez-vous pas averti Ramesh tout de suite ?

— Je n'en avais pas la possibilité, monsieur…

— Cailloux. Appelez-moi Fred. Vous savez que Hébert est mort ? »

Les yeux de la jeune femme s'assombrirent.

« Je l'ai vu tomber à quelques mètres de moi.

— Qu'est-ce qu'il voulait remettre de si important à Mark ? »

Elle releva la tête et l'enveloppa d'un regard énigmatique.

« Un DVD, dit-elle en détachant chacune de ses syllabes. Et ce qu'il y a dans ce DVD, c'est la possibilité de donner aux États-Unis une sacrée gifle économique et politique. Et de provoquer en Europe une panique dont vous n'avez pas idée… »

4

Ava sortit de la baignoire, s'essuya rapidement et s'enveloppa dans l'ample peignoir blanc brodé sur les poches du sigle de l'hôtel. Elle chassa énergiquement l'inquiétude qui la tenaillait depuis quelques heures. Depuis, en fait, qu'elle était parvenue à joindre en personne Bruce Derns, le tout-puissant patron de Pro-Tech, leader mondial dans le domaine de la bio-ingénierie.

Elle avait choisi ProTech en se fondant sur les statistiques officielles fournies par les fonctionnaires du commerce extérieur : l'entreprise de Bruce Derns – une nébuleuse chapeautée par une holding basée à Washington DC – contrôlait 27 % du marché des semences génétiquement modifiées, 20 % du marché des produits vétérinaires et 16 % du marché de la thérapie génique humaine.

Ava avait dû franchir un nombre incalculable de barrages avant de remonter jusqu'au grand patron. Le petit laïus d'introduction qu'elle avait mis un jour à rédiger avait rempli à la perfection son rôle de sésame. Elle avait frémi d'excitation lorsque la voix de Bruce Derns avait enfin retenti dans le combiné. Ce type avait l'accent gras d'un plouc du Sud profond – elle les reconnaissait d'autant plus facilement qu'elle-même venait d'une ferme isolée de l'Alabama –, mais un plouc qui dirigeait un empire dans l'empire. Un plouc peut-être plus puissant que le président des États-Unis. Il lui avait donné rendez-vous à neuf heures un quart dans l'un des restaurants à la mode de Washington DC. Un chauffeur devait venir la prendre dans… – elle consulta sa montre, posée sur le marbre blanc de la coiffeuse – … une heure et demie. Elle avait largement le temps de se préparer.

Ava écarta les pans de son peignoir et s'observa dans le miroir. Seins fermes, naturels, une rareté dans un monde revu et corrigé par la fée silicone, taille fine, hanches à l'arrondi délicat, cuisses longues, et surtout, en bas de son ventre, la signature d'une rousseur véritable, une petite flamme qui trahissait le feu sous la glace de la peau. Après l'avoir méprisé pendant des années, elle voyait son corps comme un instrument de travail et son investissement le plus rentable. Grâce à lui, grâce à la fascination qu'il avait exercée sur ce minable de John Merrick, et tous les autres avant lui, elle était sur le point de réaliser, à moins de trente ans, l'affaire de sa vie.

Elle referma son peignoir et s'assit devant la coiffeuse. Elle possédait plusieurs cartes d'identité, toutes authentiques, achetées dix mille dollars chacune à un réseau spécialisé dans la fourniture de pièces légales. Elle avait choisi l'identité de Julia Seeler et s'était transformée en conséquence : cheveux coupés court, teints en acajou, lentilles bleues modèle Nicole Kidman. Les chiens de la Grasanco, qui l'avaient engagée sous le pseudonyme de Joan Whitehead, n'avaient maintenant plus aucun moyen de retrouver sa piste, ni trace informatique ni trace visuelle. Ils lui avaient promis un million de dollars si elle réussissait à séduire John

Merrick, le fondé de pouvoir de la BioGene, et à lui soutirer des renseignements exploitables sur le mystérieux dossier *Kali*. Le salaire lui avait paru décent jusqu'à ce que John Merrick, vantard sur l'oreiller, se mette à parler. Elle s'était alors rendu compte qu'il y avait bien davantage qu'un million de dollars à tirer de cette affaire. Après avoir obtenu tous les renseignements nécessaires, elle avait prévu d'éliminer le fondé de pouvoir de la BioGene, mais il ne s'était pas présenté au rendez-vous qu'elle lui avait fixé avant de sauter dans l'avion pour Toronto. Du Canada, de New York, de Washington DC, elle avait essayé de le rappeler à son domicile, au bureau, sur son portable, pour lui proposer un nouveau rendez-vous – elle n'avait qu'à battre des cils pour l'attirer à des milliers de kilomètres de Kansas City. Il n'avait pas répondu, et ce silence prenait, au fur et à mesure que se rapprochait l'heure de la rencontre avec Bruce Derns, une dimension inquiétante.

Un grincement égratigna le calme de la suite. Elle tressaillit, expira par à-coups pour essayer de calmer les battements affolés de son cœur. Puis elle se sourit dans le miroir rond de la coiffeuse : elle avait passé des nuits bien plus terribles que celle-ci. Des heures dans les ténèbres étouffantes à guetter le pas de son père. À l'entendre tourner la poignée de sa porte. À attendre l'inéluctable.

Elle commença à se maquiller. Les yeux d'abord, un léger contour noir pour souligner le bleu acier des lentilles. Bien que Bruce Derns fût d'une tout autre trempe que John Merrick, que tous les autres qu'elle avait compromis ou humiliés pour quelques milliers de dollars, elle n'avait pas peur de lui. Elle n'avait peur d'aucun homme. Aucun d'eux n'était assez effrayant pour effacer le souvenir de son père.

C'est alors qu'elle les aperçut dans le miroir : un blond au visage poupin, un métis au crâne rasé et aux yeux bridés. Ils s'étaient introduits dans sa suite sans un bruit – hormis peut-être le léger grincement qu'elle avait entendu quelques secondes plus tôt. Ils se tenaient de chaque côté de la porte de la salle de bains. Le sourire du blond lui glaça le sang. Immédiatement, elle sut que ces deux-là avaient un rapport avec son affaire, elle comprit que sa négligence l'avait rattrapée et que son rêve allait se briser.

« Julia Seeler ? » demanda le métis en s'avançant vers elle.

Il portait des gants de latex noir.

« Fichez le camp ou j'appelle ! »

L'attaque était la meilleure défense. Elle l'avait appris la première fois qu'elle avait griffé et mordu son père.

« Cet hôtel est très bien insonorisé, Mrs Seeler. On ne vous entendra pas. »

Il s'exprimait avec douceur. Ava le trouva beau, avec son crâne lisse, son costume et son polo sombres. Un ange de noirceur dans la blancheur immaculée de la salle de bains. Contrairement à la plupart des hommes, il n'avait pas besoin de rouler des mécaniques ni de forcer sa voix pour imposer sa présence.

« Qu'est-ce que vous voulez ?

— Vous le savez bien, Julia… Joan. »

Elle frissonna. Elle reposa son crayon gras sur le marbre de la coiffeuse et resserra les pans de son peignoir.

« Comment m'avez-vous retrouvée ? »

Le blond s'introduisit à son tour dans la salle de bains et s'assit sur le rebord de la baignoire. Costume et chemise bleus, chaussures et gants de latex noirs. Lui ne ressemblait pas à un ange, mais à un enfant au regard pervers. Le métis s'approcha de Julia, saisit le revers de son peignoir et lui dénuda l'épaule avec une délicatesse d'araignée.

« À la fin du XXe siècle, on a marqué des troupeaux d'animaux sauvages pour étudier leurs migrations. On vous a marquée, Julia Joan. On vous suivra dans vos migrations jusqu'à la fin de votre vie. »

Ava se rappelait à présent que les biologistes de la Grasanco avaient insisté pour lui injecter un polyvaccin destiné soi-disant à la protéger des épidémies de grippe et des formes mutantes d'hépatite ; elle se souvenait également que la piqûre avait provoqué une inflammation douloureuse qui avait duré une quinzaine de jours.

« On ne vous a pas seulement injecté un polyvaccin, reprit le métis comme s'il avait épousé le cours de ses pensées. Mais également une micropuce biologique. De l'ADN de synthèse qui contient et gère des milliards d'informations. Dont certaines renvoient un signal particulier, votre code personnel, vers la toile des satellites. Vous avez beau vous couper les cheveux, les teindre, modifier la couleur de vos iris, remodeler votre visage, changer d'identité, les yeux du ciel vous épient où que vous alliez. »

Une moue admirative se dessina sur les lèvres d'Ava. Sa première erreur avait été de sous-estimer la paranoïa et le potentiel technologique de la Grasanco. L'index du métis effleura la petite rougeur qui ne s'était pas encore résorbée en haut de son bras.

« La Grasanco n'a eu besoin que d'une parabole, d'un ordinateur et d'une banque de données pour vous localiser dans la fourmilière, poursuivit-il. Et comme la mémoire informatique ne perd jamais rien, on a pu reconstituer votre itinéraire depuis deux jours. Après Kansas City, vous êtes allée à Toronto, sans doute pour voir quelqu'un et vous refaire une provision de liquide. Vous avez ensuite gagné New York, probablement quelques achats dans les boutiques de la Cinquième Avenue, puis vous avez loué une voiture avec laquelle vous avez rallié Washington DC. Nous supposons que vous cherchez à entrer en contact – ou que vous êtes déjà entrée en contact – avec un ponte de la bio-ingénierie pour monnayer les informations que vous avez extorquées à John Merrick. »

Ava écarta la main du métis et remonta son peignoir sur son épaule. La blancheur de la salle de bains évoquait maintenant la surface blafarde d'un suaire. Elle releva la tête et raffermit sa voix :

« La Grasanco ne sait pas encore lire dans les pensées, dit-elle avec dédain. Si je refuse de…

— Entrer dans le cerveau des gens, c'est le boulot d'Abel, coupa le métis en désignant son acolyte blond. Vous seriez avisée de nous parler du dossier *Kali* avant que nous n'en arrivions à de regrettables extrémités. »

Ava se mordit les lèvres. Elle se maudissait d'avoir laissé son sac à main sur l'un des canapés de la suite.

« D'accord, souffla-t-elle. Mais pas ici. Nous serons mieux dans le salon… »

Le métis glissa la main dans la poche de sa veste et en sortit un petit pistolet à crosse de nacre.

« Vous pensiez sans doute à ceci. Vous l'aviez oublié dans votre sac à main. Un Star calibre .380, fabriqué en Espagne en 1929. Une pièce de collection, capable encore de faire de jolis trous. Beau bijou. Merci de l'invitation, mais Abel et moi, nous préférons rester dans l'intimité de votre salle de bains. »

L'éponge du peignoir irrita la peau électrisée d'Ava.

« Je suppose que vous avez réglé son compte à John...

— Nous avons fait le boulot à votre place, répondit le métis. Nous avons pris connaissance de vos messages sur sa boîte vocale. Il ne pouvait pas vous répondre, encore moins courir à vos rendez-vous. Nous méritons notre part de salaire, non ? »

Ava n'eut pas une pensée pour John Merrick, pas même une pensée de mépris. Elle avait obtenu ce qu'elle était venue chercher, le reste n'avait été qu'une succession de moments haïssables. Elle avait particulièrement détesté la mollesse de sa peau et la fadeur de ses baisers. Elle se laissa aller contre le dossier de la chaise, croisa les jambes et fixa le métis d'un air provocant.

« À propos de salaire, combien vous paient ceux qui vous envoient ? demanda-t-elle.

— C'est une manie ! Je crains fort que vous n'ayez pas les moyens de...

— Et vous, vous n'avez pas la moindre idée de ce que représente le projet *Kali*. »

Elle s'arrangea pour exhiber furtivement son bas-ventre. Le métis serait sans doute sensible au contraste entre la blancheur de sa peau et la rousseur de sa toison, comme tous les hommes. Les yeux de son vis-à-vis s'égarèrent pendant une ou deux secondes entre les pans de son peignoir.

« Des centaines de milliards de dollars, poursuivit-elle en reprenant une position un peu plus décente.

Maintenant que vous avez éliminé John, je suis la seule à connaître le jour et l'endroit où le correspondant de la BioGene doit livrer le colis. »

Le métis tendit le bras et promena l'extrémité froide du canon du Star .380 sur le cou et la gorge d'Ava.

« Parlez-nous donc de ce colis, murmura-t-il.

— Ce que je vous propose, c'est une association... » Elle avait du mal à se concentrer sur ses paroles. Les sillons glacés creusés par l'acier couraient jusqu'à l'extrémité de ses seins. « Vous avez besoin de moi. J'ai besoin de vous. Nous partageons. » Ses mots s'échappaient de ses lèvres comme des pierres aux arêtes tranchantes.

« La jolie dame nous propose de travailler pour elle, dit le métis. Qu'est-ce que tu en dis, Abel ? »

Le blond lâcha un rire étranglé qui se répercuta sur les murs de la salle de bains.

« Nous n'avons pas encore tous les éléments pour prendre une décision, ajouta le métis.

— Je vais vous les donner. Si vous cessez de me balader ce truc sur le cou. »

Il eut un petit sourire qui lui donnait le charme vireux d'un vampire et plongea brusquement le canon de l'arme dans l'échancrure du peignoir, entre les deux seins d'Ava. Elle hoqueta, et son cri de terreur s'enraya dans sa gorge.

« Je t'écoute, Joan Julia, mais je te préviens : je sais reconnaître les bobards. »

Il glissa le pistolet dans la poche de sa veste, tira devant lui la deuxième chaise adossée au montant de la coiffeuse et s'assit à califourchon, les coudes appuyés sur le dossier, le menton posé sur les doigts croisés. Ava commença à se détendre. Elle avait gagné l'essentiel, du temps. Ils avaient apparemment mordu à l'hameçon, et, si elle parvenait à les ferrer, elle trouverait plus tard le moyen de se débarrasser d'eux. *Comme elle s'était débarrassée de son père.* Il lui restait… elle jeta un coup d'œil sur sa montre… une demi-heure pour les convaincre.

« Vous avez entendu parler du biologiste Jean Hébert ? »

Sa voix tremblait légèrement.

« Comme tout le monde, répondit le métis. Un savant fou qui a refusé son prix Nobel et qui est allé mettre ses connaissances au service d'un pays du tiers-monde.

— Ça, c'est la version officielle. En réalité, Hébert cherchait des partenaires un peu moins… regardants pour mettre au point un projet un peu moins… philanthropique. Il les a trouvés en Inde. »

Elle parla pendant une vingtaine de minutes, s'interrompant une seule fois pour se servir un verre d'eau au robinet du lavabo – le goût prononcé de chlore faillit la faire vomir. Elle leur dit tout ce qu'elle savait. À un détail près. À l'issue de son exposé, elle ne lut aucune expression sur le visage impénétrable du métis. Elle but un deuxième verre de chlore coupé d'eau et fut tenaillée par une irrésistible envie de soulager sa vessie. Elle se leva et se rendit près de la cuvette sur laquelle elle s'assit avec le plus grand naturel après avoir remonté son peignoir.

« On aurait pu sortir, dit le métis.

— Je n'ai rien à cacher.

— On n'est pas encore associés, ma chère. Tu as oublié de nous préciser le lieu et le jour du rendez-vous… »

Elle se leva et se rajusta tranquillement avant de tirer la chasse d'eau.

« Vous aurez tout ça en temps voulu. Vous en savez suffisamment pour prendre votre décision.

— Une association qui ne repose pas sur la confiance…

— Je dois me préparer pour un rendez-vous très important, coupa-t-elle d'un ton sec. Décidez-vous maintenant. Ou tuez-moi. De toute façon, vous me tenez, avec la saloperie que ces ordures de la Grasanco m'ont injectée sous la peau. »

Le métis repoussa sa chaise et se dirigea vers la porte.

« Moi, c'est Mike, lui, c'est Abel. File à ton rendez-vous. Nous t'attendons ici. »

Il revint vers elle et lui posa l'index sur le front. Ava respira brièvement son odeur. Elle eut l'impression de contempler son reflet négatif dans son miroir intime.

« Mais si jamais il se mijote des trucs pas très clairs dans cette petite tête, tu le regretteras amèrement », ajouta-t-il d'une voix douce.

5

« Cette cachette est… sûre ? »

Fred ne se sentait pas tranquille depuis leur retour de Radnapoor. Il lui semblait entendre des craquements, des frôlements dans les couloirs de l'appartement.

« Sita est une vieille amie de mon père, répondit Indrani. Les Intouchables ne la connaissent pas.

— Et le DVD de Jean Hébert ? Il est ici ? » demanda Mark.

Indrani saisit adroitement du riz et des légumes dans un morceau de *chapati* replié entre l'index, le majeur et le pouce de sa main droite. Les ventilateurs sifflaient comme des pales d'hélicoptère sans réussir à remuer l'air poissé de chaleur et d'humidité.

« Tout s'est déroulé si vite. J'étais avec Venkatesh au moment où les Intouchables ont déclenché leur attaque. Nous avons filé chacun de notre côté. C'est lui qui avait le DVD. J'attends son coup de téléphone.

— Vous êtes certaine qu'il a réussi à leur échapper ?

— Je l'ai vu courir sur le versant de la colline de Radnapoor.

— C'est un homme fiable ?

— À cent pour cent. »

Fred but une gorgée du chai au goût prononcé d'épices qui s'associait à la moiteur ambiante et la beauté d'Indrani pour essorer toute l'eau de son corps.

« Il aurait suffi à vos Intouchables de confisquer les ordinateurs et de récupérer les données dans le disque dur, grommela-t-il en s'essuyant le front d'un revers de manche.

— Tous les ordinateurs qui ont servi aux travaux de Jean ont été détruits.

— Ça veut dire qu'en dehors de ce DVD, il n'existe aucune autre trace de l'œuvre de Hébert ? »

Le soleil s'invitait par les interstices des stores et fragmentait l'ombre des planchers et des murs. Spacieux, l'appartement n'avait gardé de sa splendeur passée que les moulures aux plafonds et les boiseries ouvragées. Un délabrement sournois le rongeait, fissures colonisées par les insectes et cernées par des lézards attentifs, usure des parquets, mobilier ancien et mal entretenu. Les envolées chaloupées d'un vina montaient de l'étage inférieur, discrètement soutenues par les notes sourdes et syncopées d'un tabla.

« Il y en a une autre… Ce sont les Intouchables qui la détiennent.

— Mais qu'est-ce qu'ils détiennent, bordel ? » s'emporta Fred. Sa chemise, son caleçon et ses chaussettes s'incrustaient peu à peu dans sa peau. Il avait l'impression d'être plongé tout entier dans la chaleur dévorante d'un four. « Vous avez parlé tout à l'heure d'un truc qui pourrait foutre la merde aux États-Unis et en Europe…

— Je sais seulement qu'il s'agit d'un virus mutant capable d'anéantir, à une vitesse éclair et à l'échelle

d'un continent, la production de soja. Tout particulièrement celle du soja transgénique. »

Fred émit un sifflement.

« Le soja est la clef de voûte de l'alimentation du
bétail européen, poursuivit Indrani. Sans soja, plus de
poulets, plus de porcs, plus de vaches laitières. Ou
alors à des tarifs prohibitifs. Sans compter tous les produits dérivés… Vous imaginez les conséquences sur
l'agriculture européenne ?

— Énormes ! approuva Fred. Le pire serait pour les
États-Unis. Ils ne sont pas les premiers exportateurs
mondiaux de soja ?

— Si, intervint Mark. Pas besoin d'être un expert
en géopolitique pour comprendre que ça leur
donne un moyen de pression considérable sur des
dizaines d'autres pays. Et comme par hasard, la
totalité du soja américain est d'origine transgénique.

— Votre patron ne s'est pas trompé, ajouta Fred. Sa
saloperie mutante est plus redoutable à elle seule que
les sept plaies d'Égypte ! »

La vieille femme au sari blanc fit sa réapparition et,
d'un geste autoritaire, incita ses hôtes à manger. Elle
leur avait servi un *malai kofta* – boulettes de légumes
et de fromage accompagnés de riz basmati, de chapati
et d'une sauce piquante. La gorge en feu, les larmes
aux yeux, Fred constatait avec dépit qu'il était le seul
à transpirer autour de la table.

« Je ne connaissais pas personnellement Hébert,
mais, encore une fois, ça me surprend qu'il ait pu
consacrer les dernières années de sa vie à ce genre
d'activité, dit Mark d'une voix songeuse. Il y a un mystère là-dessous.

— Les amis de Samuel peuvent aussi être des salauds ! lança Fred, agressif. Regarde ce qu'est devenu son copain Sven Goedborg : un faux-cul dont le seul but est de récolter les honneurs et le blé. »

Mark haussa les épaules. Le moment était mal choisi pour se lancer dans ce genre de querelle.

« Jean s'était converti à l'Islam, lança tout à coup Indrani.

— L'Islam ? Quel rapport ?

— Ces dernières années, l'Islam s'est répandu comme une traînée de poudre chez les hors-caste. Particulièrement après les attentats du 11 septembre 2001. Le parti des Intouchables, le Dalit, est en grande partie financé par les madrasas du Pakistan et les fondamentalistes wahabites.

— Qu'est-ce qu'il revendique ?

— L'abolition effective des systèmes des castes. Il continue de se réclamer de Gandhi, pour qui les Intouchables, les dalit, étaient des *harijans*, des enfants de Dieu. »

La moue de Fred lui étira les lèvres et lui arrondit les yeux, accentuant sa ressemblance avec une gargouille.

« Se réclamer de Gandhi et du Jihad, de l'action pacifiste et de l'attentat suicide, vos Intouchables ne sont pas à une énormité près !

— Ils ont des circonstances atténuantes. Les castes supérieures les ont assignés pendant des siècles aux tâches dégradantes. Mon pays a trop tardé à lutter contre ce système. Il se trouve maintenant au bord de la guerre civile. Jean, et beaucoup d'intellectuels indiens avec lui, en sont venus à considérer que l'Islam était la meilleure solution, sinon la seule, pour résoudre les problèmes de l'Inde.

— Un obscurantisme pour remplacer un autre obscurantisme, ça n'a jamais fait la lumière ! » ricana Fred.

Des étincelles poudroyèrent dans les yeux d'Indrani.

« Vous êtes bien un *angrezi*. Vous, les Occidentaux, vous passez votre temps à donner des leçons au reste du monde, et nous sommes nombreux à nous être brûlé les ailes à votre prétendue lumière ! »

Elle contempla pendant quelques secondes les frémissements du voilage à demi tiré sur la fenêtre.

« Le Dalit s'est toujours intéressé à la biotechnologie, reprit-elle d'une voix radoucie. Il possède son propre laboratoire dans les environs de Mumbai. Il est entré en contact avec Jean et lui a d'abord confié la tâche de recenser la biodiversité indienne pour empêcher les multinationales occidentales de rafler tous les brevets. Depuis l'affaire Chakrabarty…

— Chakrabarty ? coupa Fred. Le type qui a eu le premier l'idée de breveter un organisme génétiquement modifié ? Ça remonte à plus de vingt ans, cette affaire-là… »

Indrani hocha la tête.

« En dix ans, la Carnatic Bio Tech a déposé plus de cinq cents brevets. Le Dalit s'est ainsi constitué un véritable trésor de guerre. Les Intouchables cèdent leurs brevets aux entreprises américaines les plus offrantes. L'afflux d'argent leur a permis de donner à Jean les moyens de fabriquer une arme biologique. Il s'y est attelé pendant une dizaine d'années. Il est parvenu, depuis peu, à mettre au point un principe qui bouleversera l'équilibre économique et politique de l'Occident pendant un bon bout de temps.

— Comment le Dalit compte-t-il utiliser ce genre d'arme ? demanda Mark. Il n'a pas accès aux semences américaines…

— Le XXIe siècle voit arriver une nouvelle forme de terrorisme : le terrorisme en blouse blanche. Les fanatiques de toutes tendances se constituent en réseaux planétaires. Leurs biologistes infiltrent les plus grands groupes de bio-ingénierie occidentaux, en particulier les producteurs de semences génétiquement modifiées. En l'occurrence, ce sera moins compliqué : la contagion s'effectuera par une plante sauvage des plus courantes, le chénopode, l'amarante, ou même le lupin. Il suffira de l'infester avec le virus mutant, et tout le soja américain disparaîtra. À moins de connaître les gènes mutants, on ne pourra pas venir à bout de ce fléau avant une bonne dizaine d'années… »

Fred rompit au bout de quelques instants le silence tendu.

« Vous venez bien de nous dire qu'un groupe de fanatiques islamistes possèdent, grâce à votre patron, une arme biotechnologique avec laquelle ils peuvent faire chanter les grandes puissances de ce monde ?

— Ils ne la possèdent pas encore, rectifia Indrani. Du moins pas entièrement. Jean a eu des remords. Il a voulu tout plaquer, tout détruire, mais le Dalit a menacé des membres de sa famille en France pour l'obliger à continuer. Il n'a trouvé qu'un moyen pour éviter le pire : scinder ses travaux en deux parties, l'une contenue dans un premier DVD qu'il a effectivement livré aux Intouchables, l'autre dans un deuxième DVD, celui que détient Venkatesh. Le premier contient le génome décrypté du virus avant sa mutation en laboratoire, le second les gènes mutants, exclusivement. Pris séparément, ils ne sont pas exploitables. Jean s'est ensuite réfugié à Radnapoor, quelqu'un a remis le Dalit sur sa piste… Vous connaissez la suite. »

Mark se leva, se rapprocha de la fenêtre et observa, par les interstices des stores, le ruban embrumé des voitures et des bus sur le boulevard écrasé de soleil. Il ne savait plus si le poids sur ses épaules et sa nuque était dû à l'ombre des mauvais jours ou au manque de sommeil.

« Pourquoi Hébert m'a-t-il fait venir en Inde ? demanda-t-il sans se retourner.

— Il voulait vous remettre le deuxième DVD en main propre. Il n'avait confiance en personne d'autre que vous.

— Il ne me connaissait pas… »

Indrani se leva à son tour et vint le rejoindre près de la fenêtre. Il fut saisi, happé presque, par sa chaleur. Une boule d'énergie se forma dans son bas-ventre, monta le long de sa colonne vertébrale, lui irradia le cerveau.

« Vous êtes le petit-fils de Samuel Sidzik, murmura Indrani. Cela lui suffisait. »

Sa voix parvenait à Mark, hébété, comme au travers d'un mur d'eau. Il se ressaisit et s'efforça de soutenir le regard de la jeune femme. Il eut l'impression de s'échouer sur un îlot de terre brûlée.

« Et vous ? Qu'étiez-vous pour lui exactement ?

— Officiellement, son assistante.

— Et officieusement ?

— Disons… la gardienne de sa jeunesse. » Elle ne lui laissa pas le temps de s'étonner de cette réponse. « Jean souhaitait également que vous repreniez le premier DVD aux Intouchables pour le mettre en lieu sûr. Il craignait que leurs biologistes ne réussissent un jour ou l'autre à reconstituer la partie manquante.

— Il faudrait pour ça que je sache où se trouve leur laboratoire…

— Moi, je le sais. Et je vous y conduirai. Vous avez l'air fatigué. Il vaudrait mieux vous reposer en attendant l'appel de Venkatesh : vous risquez d'avoir besoin de toutes vos forces dans les heures à venir. »

Il ressentait effectivement une immense fatigue. Une léthargie comparable à un début d'anesthésie. Paupières lourdes, muscles engourdis, bouche pâteuse, irrésistible envie de s'allonger, de plonger dans quelques heures d'oubli.

« Encore une question : où avez-vous appris à parler français ?

— Mes parents étaient francophones, et j'ai fait une grande partie de mes études à Paris. À Jussieu plus exactement. »

Fred demanda à Indrani la permission de se servir de son PC pour rédiger et expédier son papier sur le congrès des neurosciences de Boston.

« Pendant que j'ai encore tout ça en mémoire. Cinq, six feuillets, ça suffira largement. Autant se débarrasser des corvées. »

Mark s'allongea sur l'un des deux *charpoy*, les lits indiens en cordes tressées. Il frissonnait dans la chambre presque aussi brûlante qu'un sauna, comme s'il couvait une mauvaise grippe. L'ombre des mauvais jours le glaçait jusqu'aux os. Il ferma les yeux, sombra immédiatement dans un vide douloureux, roula dans les cauchemars comme dans des vagues blessantes.

Lorsqu'il se réveilla, suffocant, trempé de sueur, il aperçut une silhouette claire au pied du lit. Indrani, les cheveux dénoués, le regardait. Les rayons rasants du soleil se glissaient par les stores, transperçaient sa courte tunique de coton blanc et révélaient son corps aux formes pleines.

« Venkatesh vient d'appeler. »

Pendant quelques secondes, il se demanda s'il n'était pas en train de rêver.

« Il nous attend à Mysore, poursuivit Indrani. Levez-vous, nous n'avons pas de temps à perdre. »

Mark se redressa. Le sommeil n'avait pas dispersé l'ombre des mauvais jours.

« Quelle heure est-il ?

— Six heures du matin. Vous avez dormi dix-sept heures d'affilée. Votre ami dort encore dans la chambre d'à côté. »

Mark fila dans la salle de bains. Le jet glacé de la douche ne suffit pas à lui remettre les idées en place. Il se rasa, enfila une chemisette et un jean, puis, une fois habillé, entra dans la chambre voisine. Il dut secouer Fred deux bonnes minutes avant que celui-ci ne daigne ouvrir un œil. Le loir Cailloux poussa un grognement à fendre l'âme, leva un visage ravagé par la fatigue et les moustiques, puis s'évertua à remettre de l'ordre dans les improbables figures géométriques que formaient ses jambes, ses bras, le drap et le traversin. Mark ouvrit les stores. La pièce s'emplit de soleil et de la rumeur matinale de Bangalore.

« Qu'est-ce qui se passe, bordel ? » Fred consulta sa montre, une succession de gestes qui lui prit une bonne trentaine de secondes. « Ça fait à peine cinq heures que je suis couché. J'ai séché tout l'après-midi et une partie de la nuit sur ce putain de papier, je me suis paumé sur le Web, il y a eu une coupure de courant, je suis allé dans la vieille ville avec Ramesh pour m'acheter des fringues, j'ai été bouffé par les moustiques…

— Indrani a reçu des nouvelles de Venkatesh. Il nous attend à Mysore. On lève le camp. »

Fred se redressa sur un coude et leva sur Mark un regard incrédule.

« Ne me dis pas que… Tout ça ne nous concerne pas, Mark !

— C'est à moi que Hébert devait remettre le DVD…

— Il est mort, ton Hébert ! Et puis, cette nana, Indrani, elle me fait un drôle d'effet. Pas l'effet que devrait me faire un canon de son genre. Je… je ne la sens pas.

— Le massacre de Radnapoor tend à prouver qu'elle dit la vérité. Imagine que les Intouchables récupèrent les deux DVD : ils joueront au monde entier leur version de l'Apocalypse. Dernière précision : je ne t'oblige pas à m'accompagner. »

Dix minutes plus tard, Fred faisait son apparition dans la salle à manger, les joues rougies par l'eau froide de la douche. Il avait passé sa veste sur une tunique et un lenga flambant neufs. Le tout ne formait pas un ensemble très heureux avec ses Timberland qu'il portait sans chaussettes. Debout dans l'embrasure de la porte, Ramesh fumait une beedi dont l'âcre odeur de plante brûlée se mêlait au parfum sucré de l'eau de rose.

Fred eut tout juste le temps d'avaler un beignet, une galette appelée *parotha*, de s'arracher la gorge avec un tchaï brûlant et d'allumer une cigarette. Tout en mangeant, buvant et fumant, il jeta un œil au quotidien étalé sur la table et dont la première page était entièrement consacrée au massacre de Radnapoor : gros titres en anglais, photos des cadavres alignés, portraits de Jean Hébert et de Sri Ananda Saraswati.

Ils sortirent après avoir pris congé de leur vieille hôtesse. Un sombre pressentiment tarauda Mark dans l'escalier de pierre. Des silhouettes brunes s'agitaient au milieu de la cour : un groupe de Saddhus vêtus de cache-sexe et rassemblés sous le grand banian mangeaient les fruits, les thali ou les gâteaux offerts par les habitants de l'immeuble. Quelques-uns d'entre eux tiraient d'impressionnantes bouffées de leur chilom de terre cuite.

Ils durent jouer des épaules et des coudes pour se frayer un passage sur le trottoir du boulevard déjà encombré de marchands ambulants, de mendiants, de cyclistes, de vaches sacrées et de piétons. Fred ne tarda pas à transpirer à grosses gouttes. L'*azan*, l'appel d'un muezzin à la prière, se perdit dans les coups de klaxon, les hurlements des vendeurs de tchai et les vrombissements des rickshaws. Mark repéra dans la multitude le visage grêlé d'un mendiant qui marchait une dizaine de mètres derrière eux et dont le regard fiévreux, halluciné, lui rappela celui du brancardier dans l'ashram de Radnapoor. Il regretta de s'être encombré de son sac ; la lanière lui irritait l'épaule. De temps à autre, les poussées de la foule le précipitaient contre Indrani. Les contacts furtifs et répétés avec la jeune femme réveillaient le courant d'énergie qui l'avait traversé la veille.

Ramesh les conduisit dans une ruelle encore obstruée des vestiges de la nuit. Des taxis circulaient au ralenti entre les piétons, les rickshaws, les laveries et les ateliers de tailleurs. L'Hindustan les attendait une cinquantaine de mètres plus loin, l'avant garé sur le trottoir et l'arrière sur un passage piéton.

Un groupe d'hommes et de femmes couverts de haillons sortirent du porche d'un immeuble et s'avancèrent dans leur direction. Un poids tomba sur les épaules et la nuque de Mark, qui se pétrifia. Fred parcourut encore une dizaine de mètres avant de se retourner.

« On peut savoir ce que tu fous ? »

Mark ne répondit pas, les yeux rivés sur les mendiants. Il lui semblait entrevoir des scintillements entre les plis de leurs hardes. Jeunes, apparemment bien nourris et en parfaite santé, ils progressaient en formation serrée, à la manière d'un commando lâché en territoire ennemi.

Indrani s'arrêta à son tour pour observer les mendiants. Elle resta pendant quelques secondes figée, attentive, comme ces rongeurs du désert dressés sur leurs pattes arrière pour prévenir l'approche des prédateurs. Le coup de klaxon d'un rickshaw qui débouchait d'une rue perpendiculaire la fit tressaillir et reculer de deux pas. Elle cria trois mots à l'intention de Ramesh, pratiquement arrivé à hauteur de l'Hindustan, puis s'élança soudain derrière le rickshaw.

« Courez ! » cria-t-elle au passage à Fred.

L'ordre mit une éternité à toucher le cerveau de Cailloux, tétanisé. Il vit, comme s'il regardait un film, les mendiants écarter leurs hardes et brandir des fusils d'assaut.

« *Run, mister !* »

Ramesh le dépassa en louvoyant. Les mendiants se déployèrent entre les voitures. Des vociférations, des cliquetis, des détonations, des sifflements, des crépitements retentirent. Une piquante odeur de poudre emplit les narines et la gorge de Fred. Le pare-brise d'un taxi se pulvérisa, ses éclats diamantins se répandirent sur le bitume.

Une main lui agrippa l'épaule.

« Bouge-toi le cul, Fred ! »

Alors seulement, il comprit qu'il devait prendre ses jambes à son cou s'il voulait sortir indemne de ce couloir de la mort.

6

Une Fiat Uno, lancée à vive allure, échappa au contrôle de son conducteur et percuta le mur d'un immeuble. Des rafales de fusils d'assaut fauchèrent des passants éparpillés. Des vitrines explosèrent, se déversèrent sur les trottoirs en cascades scintillantes.

Mark et Fred foncèrent au milieu des voitures et des rickshaws coincés dans le début d'embouteillage. Ramesh courait quelques mètres devant eux. Son lungi se soulevait comme une aile inutile et dévoilait par intermittence ses jambes brunes. La silhouette claire et fuyante d'Indrani disparut à l'angle de la ruelle et du boulevard. Des balles ricochaient sur les pavés, sur les calandres, soulevaient de petits nuages de chaux sur les murs. Hors d'haleine, Fred trébucha, perdit l'équilibre, se rétablit de justesse, lança un coup d'œil par-dessus son épaule. Ses poursuivants escaladaient les véhicules à l'arrêt, dévalaient les capots, progressaient comme un fleuve de boue se glissant dans les failles. Sa peur lui donna la force de repartir, malgré ses poumons en feu, malgré son cœur détraqué, malgré ses muscles carbonisés.

Mark se débarrassa de son sac, contourna un bus coincé en travers, bouscula un passant, puis deux, trois… Il se rendit compte qu'il s'était jeté dans le fleuve humain du boulevard. Il distingua les cheveux roux de Fred à trois ou quatre mètres de lui. Le ululement d'une sirène fendit le vacarme comme une étrave. Une noria d'Hindustan vert et blanc surgirent à contresens et bloquèrent l'entrée de la ruelle dans un hurlement de freins et de gomme. Mark se hissa sur la pointe des pieds pour lancer un regard en arrière. Des flics en uniforme beige, l'arme au poing, sortirent des voitures, s'accroupirent derrière les portières et ouvrirent le feu sans sommation.

Une main se posa sur le poignet de Mark, une onde de chaleur lui irradia le bras. Haletante, Indrani s'agrippa à lui pour résister aux poussées désordonnées de la foule.

« Le Dalit, murmura-t-elle. Ils m'ont retrouvée… »

Mark chercha Fred des yeux, fut surpris de le découvrir juste derrière lui, livide, plié en deux, les mains posées sur les genoux, crachant ses poumons.

« Bordel de merde, j'ai passé l'âge de ce genre de conneries ! Je croyais… je croyais que ces gars-là ne connaissaient pas votre cachette…

— Ils sont partout, répondit Indrani. Un de leurs informateurs a dû me repérer. »

Le boulevard s'évacuait comme une baignoire se vidant de son eau. Les conducteurs et les passagers désertaient les véhicules immobilisés et couraient se réfugier sous les porches. Un déluge de feu pleuvait maintenant sur la ruelle. Aux aboiements des automatiques des flics répondaient les crépitements des fusils d'assaut.

« Pourquoi vous poursuivent-ils ? demanda Mark. Si j'ai bien compris, ce n'est pas vous qui avez le DVD.

— Ça, ils ne le savent pas. Ils ont certainement lancé un deuxième groupe aux trousses de Venkatesh. »

Adossé à la façade d'un immeuble, Ramesh cria quelques mots en kannada.

« Ne restons pas ici, dit Indrani. Nous ne pouvons pas récupérer la voiture, mais nous avons encore une chance d'attraper le *Kaveri Express*. »

Un monstrueux embouteillage s'était formé dans les rues de la vieille ville. Ils gagnèrent à pied la gare distante d'un kilomètre environ. Fred râla tout au long du trajet, contre la chaleur, contre les insectes, contre les mendiants, contre le grouillement démentiel des métropoles indiennes. Ce fut encore pire à la gare, où d'interminables files d'attente s'étiraient devant les guichets de l'Indian Railway de part et d'autre d'une vache allongée qui trônait comme une maharani au milieu du hall.

« Huit heures. Pas le temps de prendre nos billets. On va le rater, votre foutu train !

— *No problem, mister*, fit Ramesh avec un sourire. Vous aller devant, moi acheter tickets. »

Indrani, Mark et Fred filèrent donc sur le quai tandis que Ramesh se glissait dans l'une des files d'attente. Une foule grouillante de voyageurs et de sans-abri se pressait sur l'aire de départ, harcelée par les colporteurs de journaux et les mendiants. Indrani héla un petit vendeur et lui acheta trois tasses d'un café au lait bouillant et sucré jusqu'à l'écœurement. Fred repoussa un mendiant affligé d'un énorme goitre. Tout en buvant son café à petites gorgées, Mark observa la multitude environnante. Intouchables, membres des castes supérieures et inférieures se côtoyaient dans une indifférence forgée par des siècles de tradition. Ils partageaient le même sol mais ne vivaient pas dans le même monde. Cependant, Mark entrevoyait des ponts jetés sur les gouffres, des gestes de colère, des regards de haine et d'envie, des expressions de mépris ou de crainte. Le mouvement terroriste du Dalit n'était que l'émanation tempétueuse de courants profonds qui minaient les fondations de la société indienne. Le pays était au bord de l'explosion et, dans l'ombre, certains prédateurs se battaient déjà pour s'emparer de sa dépouille. Un homme comme Jean Hébert avait-il réellement participé à cette entreprise d'anéantissement ?

« Pourquoi Hébert s'était-il réfugié dans cet ashram ? »

Le vacarme ambiant avait contraint Mark à hurler.

« Sri Ananda Saraswati est passionné de biologie moléculaire, répondit Indrani d'une voix forte. Ils étaient devenus proches.

— Le monde à l'envers ! grinça Fred. L'Islam, l'hindouisme, voilà maintenant que les superstitions volent au secours de la science de pointe…

— Pour Jean, l'opposition science et religion n'avait aucun sens ! coupa Indrani avec agressivité. Il était convaincu que des vérités scientifiques se cachent dans les textes sacrés. »

Fred avala une gorgée de café avant de tourner vers Mark un visage goguenard.

« Tiens, tiens… Ça me rappelle quelqu'un… »

Mark se contenta de hausser les épaules. Son intérêt pour les religions lui valait de régulières et virulentes prises de bec avec Fred. Comme beaucoup de scientifiques, Mark avait d'abord rejeté en bloc toutes formes de croyances au début de ses études, le bouddhisme de sa mère, la tradition juive de son grand-père, l'orthodoxie de sa grand-mère. Puis, comme bien d'autres avant lui, il s'était heurté à l'obstacle de l'incertitude quantique. Plus on essayait de se rapprocher du réel, plus celui-ci se voilait, une loi implacable. Aux abords de la trentaine, il avait donc ressenti le besoin de se plonger à nouveau dans l'étude des textes sacrés : Ancien et Nouveau Testaments, Tao, Livre des Morts tibétain, Upanishad, mythes sumériens, égyptiens, grecs, amérindiens, africains... Pour en conclure, provisoirement, que le concept de vérité n'avait aucun sens.

« En attendant, votre saint homme n'est pas né de la dernière pluie, reprit Fred. Il extorque le fric des gogos occidentaux pour investir dans la biotechnologie. »

Les yeux d'Indrani s'enflammèrent.

« Vous savez très bien qu'en matière de brevet, c'est le plus rapide qui gagne. Sri Ananda cherche seulement à sauvegarder le patrimoine génétique de l'Inde.

— Qu'il compte, je suppose, exploiter à son profit... »

Indrani soupira, se détourna et s'absorba dans la contemplation d'une fillette de cinq ou six ans qui papillonnait de groupe en groupe pour essayer de glaner quelques paisa.

« Connaissez-vous le margousier ? reprit-elle au bout de quelques minutes.

— Un arbre, je crois, répondit Mark.

— L'arbre sacré des textes anciens. Les paysans indiens connaissent et utilisent ses vertus curatives depuis des siècles. C'est aussi et avant tout un excellent pesticide naturel. Bien supérieur aux insecticides chimiques. Une société américaine, la W. R. Grace, a isolé le principe le plus actif de la graine de margousier, l'azadirachtine. Elle a demandé et obtenu un certain nombre de brevets concernant l'extraction et la production d'azadirachtine. Le résultat, monsieur Cailloux...

— Fred.

— C'est que ce principe est devenu un produit du marché international.

— Qu'est-ce qui empêche votre pays de continuer à utiliser le margousier ? fit observer Mark. Rien ne l'oblige à passer par la Grace pour produire ses propres insecticides.

— Rien, en théorie. Mais il se trouve que notre procédé ancestral d'extraction est le même que celui prétendument inventé par la Grace. Nos chercheurs n'avaient pas pensé à le breveter. Ils étaient persuadés qu'il appartenait au domaine public. Nos paysans vont bientôt devoir payer pour une technique qu'ils utilisaient naturellement depuis des siècles. Sri Ananda ne cherche pas à faire des profits, monsieur Fred. Son seul but est de soustraire la biodiversité indienne à la rapacité des hyènes de tout poil. »

L'arrivée du train, tiré par l'une de ces motrices sans grâce qui avaient peu à peu supplanté les machines à vapeur de l'Indian Railway, déclencha une formidable pagaille. Avant qu'il n'ait eu le temps de s'immobiliser au bord du quai, des dizaines de porteurs et de voyageurs se mirent à courir le long du convoi. Les porteurs lançaient les bagages par les portières ou les vitres grandes ouvertes et s'engouffraient par le même chemin dans les wagons qui continuaient d'avancer au ralenti. Fred ouvrait des yeux effarés au spectacle de ces jambes qui gigotaient pendant quelques secondes dans le vide avant d'être happées par la pénombre du compartiment.

Ramesh les rejoignit en exhibant les quatre billets arrachés de haute lutte, puis s'enfonça sans attendre dans la marée humaine qui engloutissait le quai.

« Il n'a pu obtenir que des billets de deuxième classe, dit Indrani en le suivant du regard. Nous ne sommes pas certains d'avoir des places assises. Il va essayer de nous en trouver.

— Ce mec est vraiment une perle ! s'exclama Fred. Ça fait combien de temps qu'il travaille avec vous ?

— Quelques mois. C'est un intouchable. L'homme à tout faire de la Carnatic Bio Tech. Son métier de chauffeur de taxi lui permet d'arrondir ses fins de mois.

— Il est fiable ?

— Jean avait confiance en lui.

— Dans ces conditions, évidemment... » grinça Fred.

Ils jetèrent les tasses en argile et remontèrent péniblement le convoi jusqu'à ce que Ramesh les hèle depuis la fenêtre du compartiment de deuxième classe où il gardait quatre places avec une férocité de cerbère. Jouant des épaules et des coudes, ils parvinrent à grimper dans le wagon, à traverser le couloir et à s'asseoir sur les banquettes de bois. Fred se retrouva coincé entre Ramesh et une grosse femme drapée dans un sari blanc, Mark entre la fenêtre et Indrani. Des hommes et des femmes s'assirent à même le plancher dans l'étroit espace qui séparait les deux banquettes. D'autres grimpèrent sur les couchettes, de simples planches sur lesquelles ils se tassèrent comme des sacs de chiffons en laissant leurs pieds frôler les têtes des voyageurs du dessous.

« Difficile de croire que ce bordel ambulant appartient à la même famille que le TGV ! grommela Fred.

— Justement, le gouvernement projette d'installer une ligne à grande vitesse entre Mumbai et Delhi, fit

Indrani avec une moue amusée. Il hésite entre le TGV français et le système à coussin d'air japonais.

— Va falloir faire de sérieux efforts dans le système de réservations ! »

Sa grosse voisine adressa quelques mots à Fred avec un large sourire qui dévoilait ses gencives et ses dents rougies par le bétel. Les occupants du compartiment se tournèrent aussitôt vers lui. Il eut l'impression d'être cerné par une nuée d'étoiles lointaines et moqueuses.

« Elle dit que vous devriez cesser de vous agiter, ou votre mort finira par vous rattraper, traduisit Indrani.

— Il me semble que je n'étais pas le seul à vouloir monter dans ce train !

— Peut-être, mais vous, vous continuez de vous agiter même après avoir obtenu votre place. »

Le regard acéré de sa voisine avait dépecé Fred Cailloux en moins de deux secondes. Il se sentit aussi désemparé que le jour où il s'était retrouvé nu face à sa première fille.

« Elle en sait, des choses sur moi…

— C'est une jaïna. Elle respecte toute forme de vie. Elle s'intéresse seulement à vous. »

La grosse femme lui sourit en remuant la tête, un geste gracieux, aérien en dépit de sa corpulence.

Le *Kaveri Express* s'ébranla à neuf heures vingt, soit un retard de près d'une heure sur l'horaire prévu.

D'express, il n'avait que le nom, car il roulait à l'allure d'un tortillard et s'arrêtait dans chacune des gares perdues de la campagne carnate. À chaque halte, des centaines de voyageurs descendaient, des centaines d'autres montaient. Les uns convoyaient des moutons ou des chèvres, d'autres transportaient, sur un brancard, un mort enveloppé dans un drap

84

maculé de taches. Des dizaines d'enfants surgissaient des environs et se déployaient dans les wagons, proposant, à grand renfort de glapissements, des cacahuètes, des bananes, du café ou du thé. Les plus petits lançaient des pierres sur les macaques en quête de nourriture et rôdaient le long des wagons pour soutirer quelques paises aux voyageurs tassés contre les fenêtres.

Une vie intense se déployait dans l'ombre de ces villes en mouvement que sont les trains de l'Indian Railways. Les haltes innombrables dans des gares se résumant à un abri délabré et un quai de terre rouge avaient manifestement pour les villageois davantage d'importance que la mousson ou que le cours mondial des céréales. Dans les pays occidentaux, la phobie de l'entropie générait des systèmes clos où les inadaptés n'avaient pas leur place. En Inde, et Mark avait remarqué cette caractéristique dans de nombreux pays du Sud, entre autres dans le Vietnam natal de sa mère, les populations s'emparaient du désordre avec une frénésie et une ingéniosité inlassables. L'Occident s'était considérablement fragilisé en perdant l'habitude de recycler le chaos. Il n'avait plus d'autre choix, désormais, que d'accélérer le mouvement pour ne pas sombrer dans son propre vide.

Un soleil incertain brillait dans un ciel gris perle et entretenait une moiteur étouffante dans le compartiment bondé. Mark contemplait d'un œil distrait les somptueuses forêts de tek et de bois de rose, les villages des différentes tribus qui peuplaient la campagne carnate, les femmes parées d'étoffes aux couleurs éclatantes, les gosses bruns et nus qui pataugeaient dans les mares boueuses, les temples en ruine dévorés par la végétation, les éléphants aspergés par leurs cornacs sur les rives des cours d'eau, les troupeaux de buffles dispersés dans les rizières.

De temps à autre, il sentait sur sa joue le regard insistant d'Indrani, comme un rappel brûlant de la chaleur qui se diffusait par sa hanche et sa jambe. Ces champs, ces forêts, ces collines, ces rochers lui apparaissaient comme autant de vestiges d'un paradis oublié. Il avait intégré le *World Ethics and Research* afin de traquer et dénoncer les perversions de la science, mais bon nombre de ses illusions s'étaient fracassées sur les écueils économiques, sur les réalités du pouvoir. Parfois l'envie le prenait de renoncer, de se retirer au Nouveau-Mexique pour se consacrer à l'astrophysique, sa première passion, et s'adonner à la recherche fondamentale. Quelque chose l'en empêchait. Le regard figé de Samuel, peut-être, ce grand-père qu'il n'avait jamais connu et dont le portrait photographique veillait inlassablement sur le salon du pavillon de la Butte-aux-Cailles. Ou encore la lutte perdue d'avance de Joanna pour réhabiliter la mémoire de son mari. Et puis, il y aurait toujours des poignées de dingues qui exploiteraient les dernières découvertes scientifiques pour hâter la ruine de l'humanité. Les Intouchables du Dalit, probablement manipulés par une puissance politique ou économique, n'étaient que les derniers en date.

Le compartiment se vida partiellement en gare de Mandya. Au grand soulagement de Fred, sa voisine se leva et lui adressa quelques mots en kannada avant de sortir.

« Elle demande sur vous la bénédiction de Lakshmi, la déesse de l'abondance, traduisit Indrani.

— Je croyais qu'elle était jaïna. Lakshmi est une déesse du panthéon hindou… » marmonna Fred après avoir salué la grosse femme d'une mimique.

Les yeux d'Indrani se plissèrent de surprise.

« Le jaïnisme est d'essence athée, mais de nombreux adeptes intègrent la *bhakti* hindoue à leur culte. Je ne pensais pas que vous aviez une telle culture…

— Je progresse vite ! »

Deux Occidentaux vêtus à la mode indienne vinrent occuper les places vacantes. Un homme et une femme, la trentaine ; elle, brune aux cheveux courts, visage dur, corps athlétique dont les angles torturaient l'ample robe de coton ; lui, chevelure blonde rassemblée en queue-de-cheval, traits fins, presque angéliques, yeux turquoise, sandales de cuir, veste Nehru et dhotis blancs. Ils ne tardèrent pas à se présenter. La femme, Janet, était australienne et médecin, l'homme, Duane, américain et biochimiste. Ils travaillaient pour le compte d'une organisation non gouvernementale qui, sous le parrainage de l'OMS, se chargeait de trier et de distribuer en Inde les surplus de médicaments en provenance de l'Occident. Ils avaient collaboré à l'installation de dispensaires à Delhi, à Calcutta, à Chennai, puis on les avait expédiés dans l'État du Karnakata, où le développement vertigineux de Bangalore avait créé des besoins importants en produits pharmaceutiques. Disposant de quelques jours, ils en profitaient pour visiter la région.

« On nous a dit que le palais Amber Vilas de Mysore est l'un des plus… euh, typiques du sud de l'Inde, avança Duane.

— L'un des plus visités, oui. Mais certainement pas le plus authentique, concéda Indrani du bout des lèvres.

« — Et vous ? demanda Duane en promenant tour à tour son regard sur Mark et Fred. Que faites-vous en Inde ?

— Un reportage, dit Fred. Nous sommes journalistes. »

Le train démarra après qu'une dizaine de coups de sifflet eurent transpercé le brouhaha de la gare de Mandya.

Fred s'assoupit durant les trente derniers kilomètres du trajet. Mark le soupçonna de simuler le sommeil pour qu'on lui fiche la paix. Comme Indrani et Ramesh gardaient un mutisme obstiné, il lui revint de soutenir la conversation, en anglais le plus souvent, un exercice d'autant plus fastidieux que Duane et Janet avaient une haute opinion d'eux-mêmes et l'assommaient avec leurs considérations sanitaires. Ils évoquaient à Mark les missionnaires des siècles derniers armés de dogmes et convaincus d'œuvrer pour le salut de l'humanité. Cependant, s'il ne mettait pas en doute la sincérité de la femme, il sentait que quelque chose sonnait faux chez Duane. À commencer par sa manie d'exploiter les moindres occasions, les moindres mouvements de voyageurs, pour épier Indrani à la dérobée. Les éclats métalliques de son regard démentaient l'angélisme de ses traits. Aussi Mark ressentit-il un certain soulagement lorsque le *Kaveri Express* entra en gare de Mysore.

Contrairement à Bangalore, Mysore restait épargnée par la lèpre du modernisme. Les vestiges de la colonisation anglaise, bâtiments victoriens, parcs verdoyants, larges artères, se fondaient harmonieusement dans la splendeur passée de l'ère des maharadjahs. Au sortir de la gare, une agréable construction de couleur rose qui ne donnait pas la même impression de fourmilière démente que les gares des mégapoles indiennes, Duane et Janet demandèrent à Mark s'ils pouvaient se mêler à leur petit groupe pour visiter le palais d'Amber Vilas.

« Nous ne sommes pas venus à Mysore pour faire du tourisme, objecta sèchement Mark.

— Je comprends, dit Duane. Nous descendons à l'hôtel Palace Plaza, Sri Harsha Road. Et vous ?

— Nous repartons ce soir », dit Indrani.

Duane hocha la tête.

« Si vous changez d'avis… »

L'Australienne et l'Américain prirent congé et hélèrent un rickshaw, mais, au moment de grimper sur la banquette, Duane revint sur ses pas et fit signe à Mark de se rapprocher.

« J'ai été envoyé dans le Karnataka par quelqu'un dont le nom vous dira certainement quelque chose, dit-il à voix basse. Le professeur Salinger. »

Mark laissa errer son regard sur les terrains de sport qui jouxtaient la gare et sur lesquels de jeunes Indiens disputaient une partie acharnée de criquet. Un peu plus loin, un cornac proposait à un couple d'Italiens une promenade sur le dos de son éléphant, un grand mâle attaché à un arbre et affairé à engloutir un énorme monticule de cannes à sucre.

« Rejoignez-moi dans deux heures à l'entrée du palais Amber Vilas, ajouta rapidement l'Américain. J'ai pas mal de choses à vous dire. Entre autres de vous méfier de cette femme, Indrani. »

Il s'éloigna avec un sourire et rejoignit Janet sur la banquette du rickshaw. L'engin s'ébranla dans une pétarade et se fondit dans le maigre trafic qui s'écoulait sur l'avenue perpendiculaire.

Fred retira sa veste et dégrafa les trois boutons du col de sa tunique. La chaleur, tempérée par une douce brise, restait agréable, mais il transpirait à grosses gouttes et s'éventait avec la revue qu'il avait ramassée sur une banquette vide.

« Qu'est-ce qu'il te voulait ? demanda-t-il à Mark.

— Rien d'intéressant… »

Fred connaissait trop bien son Sidzik pour ne pas déceler les non-dits dans la sécheresse de la réponse, mais il comprit qu'il valait mieux ne pas insister pour le moment. Indrani leur proposa de gagner à pied Sayali Rao Road, distante d'environ cinq cents mètres.

« Venkatesh nous attend chez un fabricant d'encens, près du marché Devaraja. »

Le flot des piétons était de plus en plus dense au fur et à mesure qu'ils s'enfonçaient dans le cœur de l'agglomération, dominée par les flèches dorées et les dômes rouges du palais Amber Vilas. C'était ici la même cacophonie, la même profusion d'odeurs et de couleurs que dans la vieille ville de Bangalore. Un charivari multiplié par dix, par cent, le long du marché Devaraja, où les marchands trônaient sur leurs étals avec une majesté de maharadjah. Ramesh se chargeait d'écarter les rabatteurs qui bourdonnaient comme des mouches autour de Fred.

L'ombre, qui s'était estompée dans le train, se perchait à nouveau sur l'épaule de Mark. Elle soufflait un courant froid entre son oreille et son cou. La mort se terrait quelque part dans ce désordre fécond. Dans le regard sombre de cet homme au visage grêlé, peut-être. Ou dans les haillons de cette femme aux mains rongées par la lèpre. Ou encore dans le ventre distendu de cette fillette allongée sur un trottoir…

Ils s'engagèrent dans une rue plus calme, puis, une trentaine de mètres plus loin, Ramesh les conduisit dans une cour intérieure pavée de pierres blanches, cernée par deux immeubles de trois ou quatre étages et baignée d'un silence mortuaire. Fred s'épongea le front d'un revers de manche. Mark balaya les environs d'un regard fébrile.

La cour était déserte. Une odeur indéfinissable sous-tendait les effluves capiteux, presque écœurants, du santal.

« Atelier de Wishwanath, *agarbathi*, encens, déclara Ramesh en désignant une porte dont l'un des battants, resté ouvert, claquait doucement contre le mur. *Appartment, first floor…* »

Ils s'introduisirent à l'intérieur de l'atelier, éclairé par une ampoule nue. Dans la première pièce, ils découvrirent des milliers de tiges de bambou étalées sur des bâches et teintes en vert ou en rouge, des sacs de poudre parfumée, de grands bacs en pierre conte-nant de la pâte molle de santal. Ramesh lança un regard inquiet à Indrani.

« *Nobody*, chuchota-t-il. *Very strange.* »

Ils franchirent une porte en enfilade et passèrent dans une seconde pièce plongée dans la pénombre. Une vingtaine d'autres bacs alignés le long d'un mur en pierres apparentes contenaient de la pâte blanche ou de la poudre ocre. Une fois accoutumés à l'obscu-rité, ils discernèrent des coussins, des tables basses couvertes de tiges de bambou, des vestes accrochées à des patères, une statuette de Ganesh ornée de guir-landes et posée sur un poste de radio, des gants et divers objets disséminés sur le sol de terre battue.

Ramesh cria quelque chose en kannada, mais seul le silence répondit à son appel.

« Le sang ! s'exclama Mark.

— Quoi, le sang ? grogna Fred.

— L'odeur… »

Mark se rua vers la porte du fond de l'atelier. Elle refusa de s'ouvrir. Ramesh le rejoignit, lui fit signe de s'écarter, plongea la main dans l'échancrure de son lungi, en sortit un pistolet, déverrouilla le cran de sûreté, tira deux balles dans la serrure.

« Putain, ce mec se baladait avec un flingue ! » déglutit Fred, plus pâle que sa tunique.

Sous la pression de Ramesh, la porte s'entrebâilla sur une cave voûtée. Des bâtons d'encens séchaient sur des grilles suspendues. Une suffocante odeur de boucherie dominait les effluves de santal.

L'Indien se glissa dans la cave, suivi de Mark.

Un corps gisait entre deux étagères. Une femme couchée sur le ventre et dont le sari, déchiré de part en part, était taché de terre et de sang.

7

Bloquée par un bus à impériale, la vieille Hindustan Contessa déposa ses deux passagers à l'entrée de Suklaii Street. La chaleur lourde fixait les odeurs d'essence et de putréfaction. Ici commençait le quartier de Kamathipura, le Mumbai populaire avec ses ruelles étroites, ses putains, ses maquereaux gominés, sa multitude de commerçants ambulants, ses légions de mendiants, ses boutiques débordantes, ses vaches et ses chiens errants.

Après avoir réglé la course – ils ne cherchèrent pas à négocier la somme, pourtant exorbitante, réclamée par le chauffeur –, les deux hommes s'enfoncèrent dans la rue où grouillait une population affairée et braillarde. Des mendiants et des dealers commencèrent à leur tourner autour, et il fallut qu'Abel en repousse deux ou trois avec brutalité pour se frayer un passage. Des prostituées tentèrent de les agripper au travers des barreaux des cages exiguës où elles s'entassaient par dizaines. Outrageusement fardées, vêtues de shorts échancrés et de choli transparents, certaines d'entre elles avaient à peine atteint leur dixième année. Elles exhibaient de temps à autre un bout de ventre ou de sein pour aguicher les badauds suspendus en grappes devant les barreaux. Mike repéra quelques Occidentaux parmi les voyeurs, des ogres qui venaient se payer un peu de chair fraîche sans risque – autre que les maladies vénériennes – et au moindre coût. Mike n'avait pour eux que du mépris : c'était le genre de types qui, lorsqu'ils se retrouvaient jurés dans un procès, expédiaient sans pitié les nègres de son genre à la chaise électrique.

Avec son costume strict, sa cravate discrète et son attaché-case, Abel faisait un parfait fondé de pouvoir de la BioGene. La maîtresse de Merrick – Ava, Joan, Julia… cette fille était un Bottin entier à elle seule – était parvenue à intéresser Bruce Derns, le grand patron de la ProTech. Il lui avait promis soixante millions de dollars si elle rassemblait tous les éléments du dossier *Kali*. Elle n'avait pas eu besoin de coucher avec lui : s'il s'était marié pour assurer sa lignée, comme tout créateur d'empire qui se respecte, ses préférences allaient aux éphèbes bronzés et musclés.

En revenant de son rendez-vous, Ava avait proposé la moitié de la récompense à ses deux nouveaux associés. Ils avaient exigé de partager en trois parts égales, soit vingt millions chacun. Elle s'était offerte à Mike afin de sceller leur pacte, mais il l'avait repoussée avec une sécheresse qui avait allumé des éclats de dépit sous le bleu de ses lentilles.

Ils avaient exploité leur première piste, l'agenda électronique qu'Ava-Joan avait subtilisé à Merrick. Il contenait les numéros de portable de tous les correspondants de la BioGene en Inde. Une véritable mine de renseignements. Ils avaient donné les premiers coups de téléphone dès l'aube. Jouant le rôle de l'épouse de John Merrick, Ava avait d'abord prévenu la BioGene que son mari avait dû s'absenter pendant quelques jours afin de régler une affaire urgente, puis, passant au rôle de secrétaire de maître Merrick, elle avait contacté Ali Bey, l'un des hauts responsables du parti du Dalit, le premier sur la liste secrète de l'avocat, la première étape sur le chemin du dossier *Kali*.

Au numéro 87, Mike et Abel s'engouffrèrent sous le porche d'un immeuble et longèrent un couloir dont les murs délabrés exhalaient une suffocante odeur de moisissures. Tout en marchant, Mike glissa la main sous sa veste et déverrouilla le cran de sûreté du Beretta tapi dans son holster. La fatigue, le manque de sommeil, le décalage horaire s'instillaient dans ses membres comme un lent poison. Il n'avait pas l'esprit tranquille. La facilité avec laquelle Ava avait obtenu ce rendez-vous dans le ventre de Mumbai lui semblait *a posteriori* suspecte. Ava était partie du principe que ni les Intouchables du Dalit ni le correspondant occidental de la BioGene ne connaissaient physiquement John Merrick, mais, avec les satellites-espions et le Net, il ne fallait qu'une fraction de seconde pour obtenir le portrait d'un homme.

Ils gravirent les marches d'un étroit escalier de pierre et débouchèrent sur un palier éclairé par une ampoule blafarde. Deux Indiennes demi-nues passèrent devant eux en babillant et s'introduisirent dans une pièce où une matrone enfouie dans les plis de son visage et de ses vêtements présentait ses filles, des adolescentes, à deux Occidentaux ventrus et vautrés sur un canapé. Ils inspectèrent rapidement les autres appartements par l'entrebâillement des portes. Dans l'un, des femmes assises en tailleur sur des tapis se lavaient, se maquillaient, s'habillaient devant des miroirs piquetés de rouille. Dans le deuxième, des hommes jouaient aux cartes autour d'une table basse. Des femmes de ménage changeaient les draps des lits séparés par des paravents dans le troisième. Il régnait entre ces murs une chaleur étouffante qui rappelait à Mike les étés torrides du Bronx. Des rigoles de sueur s'écrasaient entre sa chemise et son torse. Les mouches et les cafards se disputaient les miettes de nourriture dans les rainures du carrelage et dans les crevasses des murs.

Les deux hommes empruntèrent un second escalier, de bois celui-ci, pour monter au deuxième. Un jeune Indien vêtu d'un jean et d'un tee-shirt montait la garde sur le palier. Armé d'une kalachnikov, il leur cria de s'immobiliser, se recula et, du poing, frappa trois coups sur le panneau d'une porte écaillée. Elle s'entrouvrit en grinçant. L'Indien invita Mike et Abel à entrer dans une vaste pièce meublée d'un seul tapis aux couleurs passées. Cinq autres hommes les y attendaient, tous jeunes et armés de fusils d'assaut. Leur fine moustache et leur air féroce ne parvenaient pas à masquer leur juvénilité, trahie par leurs joues rondes, leur acné et leur nervosité. Mike préférait avoir affaire à ce genre d'interlocuteurs. En cas de coup dur, la balance penche toujours du côté de ceux qui savent garder leur sang-froid. Ceux-là avaient beau être des islamistes, des fanatiques prêts à mourir pour leur Dieu, ils n'avaient aucune expérience – la preuve, ils avaient omis de les fouiller –, et ils s'affoleraient comme des mouches au premier coup de feu, au premier sang versé. Une chose était de défier la mort, une autre était de la regarder en face. Mike et Abel l'avaient si souvent vue à l'œuvre qu'ils estimaient l'avoir définitivement apprivoisée.

Un homme coiffé d'un turban sortit d'une seconde pièce, s'immobilisa dans l'embrasure de la porte et dévisagea les deux arrivants. Lui n'avait rien d'un enfant de chœur : visage parcheminé, émacié, dont une barbe clairsemée soulignait les angles ; yeux profondément enfoncés sous des arcades saillantes et brillants comme des éclats de verre ; nez en forme de bec et cou déplumé de vautour. Un fou de Dieu comme il en pullulait dans les ghettos noirs des cités américaines. Un charognard qui proclamait d'un côté la grandeur d'Allah et de l'autre fournissait des armes aux gosses, plus sensibles aux gros calibres qu'aux versets sacrés.

« Vous êtes Ali Bey, le responsable du grand Sud ? » demanda Abel.

Abel Kromsky parlait peu et pouvait paraître déficient mentalement pour qui ne le connaissait pas, mais il était tout à fait capable de revêtir la défroque d'un avocat, d'un homme d'affaires ou d'un pasteur. C'était un être polymorphe, inclassable, chez qui une forme très élaborée de vice tenait lieu d'intelligence.

L'homme au turban acquiesça d'un hochement de tête et s'avança vers les deux Américains. Mike repéra aussitôt la petite bosse qui déformait sa large ceinture de tissu. Le saint homme n'utilisait pas le fusil d'assaut, contrairement à ses hommes, mais le pistolet, comme n'importe quel officier supérieur d'une armée ordinaire.

« Nous n'attendions pas votre visite si tôt, maître Merrick... »

Ali Bey parlait un anglais impeccable, dépourvu d'accent. Il avait probablement fait ses études en Angleterre ou aux États-Unis, comme beaucoup d'Indiens.

« Vous rappelez-vous depuis combien de temps notre compagnie finance votre mouvement ? » attaqua Abel.

Un ton à la fois docte et ferme, le ton du parfait avocat, apprécia Mike. L'Indien chassa d'un geste agacé les grosses mouches qui bourdonnaient devant ses yeux.

« Quelque chose comme cinq ans, répondit-il.

— Il serait temps que nous touchions les premiers dividendes de notre investissement, vous ne croyez pas ?

— Nous vous avons fourni plusieurs brevets à des conditions très avantageuses…

— Des principes biologiques sans réelle utilité ! coupa sèchement Abel – c'était en tout cas ce qu'avait affirmé Merrick à Ava-Joan. Ma compagnie attend bien davantage de vous. »

Ali Bey se rendit près de la fenêtre et observa la rue en contrebas. Le soleil se ruait à flots par les vitres sales et s'écrasait en flaques aveuglantes sur le tapis. Des cris et des rires de femmes traversaient le parquet vermoulu. Les éclairs verts des lézards en chasse zébraient le plafond fendillé.

L'attitude fuyante d'Ali Bey et l'extrême nervosité de ses six hommes déclenchèrent une sonnette d'alarme dans l'esprit de Mike. Il se demanda si cette petite roulure d'Ava ne les avait pas directement expédiés dans un guet-apens. Elle n'était pas avare de ses charmes, mais elle n'avait sûrement pas envie de partager le paquet de dollars promis par Bruce Derns. Elle avait tort : sans alliés fiables, et même en prenant toutes ses précautions, elle serait éliminée sans pitié dès qu'elle aurait remis le dossier *Kali* à la ProTech. Malgré ses crochets de vipère et son Q.I. supérieur, elle n'était pas de taille à lutter contre un empire de la bio-industrie.

« Les temps ont changé, dit Ali Bey d'une voix douce. Avant, nous avions besoin des biologistes occidentaux, aujourd'hui nous avons la capacité de voler de nos propres ailes.

— Vous êtes soutenus par l'Arabie Saoudite et le Pakistan, répliqua calmement Abel – Mike comprit que son acolyte en était arrivé aux mêmes conclusions que lui et qu'il commençait à préparer sa sortie. C'est-à-dire par les États-Unis. Vous auriez tort de ne pas respecter les accords. »

Ali Bey se retourna et laissa échapper un petit rire enroué.

« L'Occident est la Troie moderne, maître Merrick. Pendant qu'il ferraillait en Irak et en Afghanistan, il n'a pas vu que les ennemis se terraient dans le ventre des alliances et des autres chevaux de bois. En Algérie, au Pakistan, en Inde, au Kosovo, au Soudan, nous avons ménagé les intérêts occidentaux. En échange, nous avons reçu tout ce dont nous avions besoin : l'argent, la technologie de pointe. L'heure est maintenant venue de révéler au monde la vérité. Notre vérité. »

Ses yeux brillaient comme des halogènes entre les reliefs saillants de ses pommettes et de ses arcades sourcilières.

« Vous n'avez plus l'intention de nous livrer le dossier *Kali*, si je vous comprends bien ? dit Abel.

— Disons que… nous préférons garder notre longueur technologique d'avance sur l'Occident.

— Je doute que vos biologistes aient le niveau de compétence requis pour tirer le meilleur parti des travaux de Jean Hébert… »

Mike comprit que son associé cherchait à gagner du temps, à la fois pour endormir la méfiance de son vis-à-vis et passer en revue les paramètres de la situation : topographie, disposition des adversaires…

« Nos biologistes sont parmi les plus brillants de ce monde, cracha Ali Bey avec une expression d'orgueil puérile. Ne vous faites aucun souci pour eux.

— Je dois leur reconnaître un avantage sur les nôtres : ils ne s'embarrassent pas d'éthique !

— L'éthique est un mot obscène dans la bouche des Occidentaux. Obscène dans la bouche de l'avocat d'une firme qui finance un mouvement clandestin dans le seul but d'augmenter son chiffre d'affaires...

— Comme est obscène le mot Dieu dans la bouche d'un religieux qui joue les maquereaux dans les bordels de Mumbai ! »

Mike crut qu'Ali Bey allait se jeter sur Abel, mais le responsable du Dalit se contint. Un pâle sourire étira ses lèvres meurtries.

« L'argent est le nerf de la guerre, maître Merrick. Avant, les putains de Kamathipura enrichissaient les chiens de la pègre de Mumbai. Aujourd'hui, elles servent à leur manière une noble cause. Et dès que nous aurons récupéré tous les éléments du dossier...

— Comment ça ? l'interrompit Abel. Ce n'est pas encore fait ? »

Ali Bey lui décocha un regard glacé.

« Tout sera bientôt rentré dans l'ordre... »

L'esprit de Mike se vida tout à coup de toute pensée superflue. Ali Bey n'avait pas l'intention de les laisser sortir vivants de cette pièce. Il pivota lentement sur lui-même, puis, lorsqu'il tourna le dos aux six Intouchables alignés devant le mur du fond – une erreur, une nouvelle preuve de leur inexpérience –, il plongea la main sous sa veste, le bras collé le long du corps de manière à masquer le plus longtemps possible son geste. Il agrippa la crosse du Beretta que son alliage d'aluminium rendait extrêmement maniable, le dégaina, se retourna avec vivacité et ouvrit le feu en se laissant tomber sur le tapis.

La première balle atteignit Ali Bey entre les deux yeux. Viser la tête du serpent, un principe de base. Mike eut encore le temps de tirer une fois avant de heurter le parquet. Il entendit les détonations, reconnaissables entre toutes, du .454 Casull d'Abel, puis le crépitement d'une kalachnikov, le miaulement des balles sur les lattes de bois, sur les plinthes des murs. Les bras tendus au-dessus de la tête, les deux mains serrées sur la crosse, il roula sur lui-même en direction de la fenêtre. Du coin de l'œil, il vit Abel, accroupi, braquer son énorme revolver en direction de deux Intouchables pétrifiés dans un coin de la pièce. Deux autres, affolés, se ruaient vers la porte du fond en lâchant à l'aveuglette des rafales de kalachnikov. Il pressa la détente du Beretta. Les deux Indiens titubèrent, à une fraction de seconde d'intervalle, comme des hommes ivres à la sortie d'un bar. L'un s'effondra contre un mur, sur lequel il abandonna un sillage sanglant, l'autre bascula à la renverse et s'affaissa doucement sur le parquet sans faire plus de bruit qu'une feuille morte. Mike se redressa. Le .454 Casull d'Abel avait fait place nette – manière de parler : les balles 11,5 mm avaient transformé leurs cibles humaines en une bouillie de chair et de sang. Rien ne troublait le silence, hormis de légers gargouillements. Le fracas des armes avait pétrifié la rue. Les femmes du dessous avaient cessé leur babil. Abel et Mike restèrent un moment immobiles, les sens en alerte, l'un surveillant la porte qui donnait sur le palier, l'autre la porte qui s'ouvrait sur une autre pièce, ou une autre série de pièces.

« Et merde, la piste est coupée, grommela Abel.

— Sûrement pas, dit Mike. Ce taré – du canon de son arme, il désigna le corps d'Ali Bey – a reconnu qu'il n'avait pas toutes les pièces du dossier. On doit à tout prix retrouver l'agent occidental de la BioGene en Inde.

— Comment ? Ava nous aurait prévenus si ce con avait daigné répondre à ses messages…

— D'après Ava, les mecs du Dalit sont de vrais paranos. Ils ont exigé de la BioGene un moyen de suivre son agent à la trace. »

Ils trouvèrent ce qu'ils cherchaient dans une chambre baignée de pénombre.

Une carte de l'Inde s'affichait sur l'écran à plasma d'un ordinateur portable de la taille d'un livre de poche, posé sur un matelas à côté d'un Coran et d'un chargeur de pistolet. Un point bleu clignotait en bas et à gauche de la pointe de la péninsule.

« Une balise satellitaire, murmura Mike en appuyant sur la touche zoom du minuscule clavier. On dirait que la piste nous mène dans la région de Mysore… »

Un craquement retentit dans la pièce voisine. Mike referma l'ordinateur portable, le glissa dans la poche de sa veste et se plaqua contre la cloison. Abel se plaça de l'autre côté, dans un recoin d'obscurité. La poignée de laiton pivota sur elle-même, la porte s'entrouvrit et livra passage à une fille âgée de quatorze ou quinze ans vêtue d'une courte pièce d'étoffe nouée sur son ventre. La présence des deux hommes ne parut pas particulièrement l'effrayer ni même la surprendre. Des traces de coups marbraient ses bras, ses épaules, ses seins et son cou. De l'index, Mike lui fit signe d'approcher.

« Qui t'a fait ça ? demanda-t-il en désignant ses ecchymoses. Ali Bey ? »

Elle hocha la tête, les yeux rivés sur le Beretta de son interlocuteur. Elle suivit les deux hommes à distance lorsqu'ils quittèrent la pièce et se dirigèrent vers la sortie de l'appartement. Elle s'arrêta devant le cadavre d'Ali Bey, sur lequel elle cracha à trois reprises avant de passer à son tour sur le palier.

La fusillade avait déclenché la panique dans l'immeuble. Les prostituées s'étaient regroupées dans la cour intérieure en attendant que le calme revienne. Leurs clients s'étaient enfuis à toutes jambes sans avoir pris le temps de remonter leur pantalon ou leur lungi. Leurs cerbères, des *goonda* – des petits voyous employés par les caïds de la pègre ou les partis politiques –, s'étaient postés sur les marches, l'arme au poing. Abel tendit un masque filtrant à Mike et sortit, d'une poche intérieure de sa veste, l'une de ces petites bombes lacrymogènes qu'il portait en permanence sur lui. Il la dégoupilla et la lança dans l'escalier. Les lieux furent en quelques secondes noyés sous une irrespirable fumée ocre. Des pas précipités succédèrent aux cris, aux quintes de toux, aux coups de feu. Les *goonda* désertaient leur poste l'un après l'autre, tirant parfois une balle au hasard comme ils auraient lâché un juron de dépit.

Mike et Abel attendirent encore une minute avant de dévaler les marches. Protégés par le masque filtrant, ils atteignirent sans encombre le rez-de-chaussée. La fumée se répandait dans le corridor, dans la cour intérieure, chassait vers la rue les *goonda*, les filles et les clients. Un quinquagénaire, vêtu seulement de sa chemise et de ses chaussettes, perdit l'équilibre et s'étala de tout son long sur les pavés de la cour intérieure. La confusion était telle que plus personne n'osait se servir de son arme. La sirène d'une voiture de police ulula dans le lointain.

Les deux Américains se fondirent tranquillement dans la marée humaine qui inondait la rue.

« Et maintenant ? demanda Abel.

— Maintenant, on fonce à Mysore. »

8

Ramesh pressa l'interrupteur. L'ampoule du plafond s'emplit d'une lumière sale qui accentuait l'aspect blafard du cadavre, dévoilait les voûtes poussiéreuses de la cave, les toiles d'araignée, les pierres grises des murs et les larges flaques de sang en partie absorbées par la terre battue. Ils dénombrèrent treize autres corps entre les rangées d'étagères de la cave. Sept femmes, quatre hommes et deux fillettes. Bâillonnées, dénudées, les trois femmes les plus jeunes avaient visiblement subi des violences sexuelles avant d'être égorgées. Leurs agresseurs leur avaient coupé les mains et crevé les yeux avec des bâtonnets d'encens. Ils n'avaient pas utilisé d'arme à feu, sans doute pour ne pas donner l'alerte.

Mark se figea d'horreur devant ces corps mutilés. Les bourdonnements des mouches résonnaient comme d'insupportables complaintes dans le silence funèbre. Ramesh identifia Wishwanath, le patron de l'atelier, un homme d'une cinquantaine d'années, Sita, son épouse, leurs deux fils, leurs brus et quelques-uns de leurs employés.

Indrani fut la première à sortir, suivie successivement de Fred, de Mark et de Ramesh. Blême, elle s'assit sur une grosse pierre de la cour intérieure et resta pendant quelques secondes recroquevillée sur elle-même, le visage enfoui dans les mains. Ramesh se pencha sur elle et lui murmura quelques mots.

« Il veut fouiller l'appartement de Wishwanath, dit-elle en relevant la tête.

— Une idée stupide ! objecta Fred. Les tueurs y sont peut-être encore… »

Ramesh s'engouffra dans l'un des deux escaliers de pierre qui encadraient la porte de l'atelier.

« Je monte avec lui », fit Mark en s'élançant sur les traces de l'Indien.

Indrani lui agrippa le poignet.

« Inutile de prendre des risques. Il saura se défendre. »

Deux femmes âgées traversèrent la cour, portant des cabas qui débordaient de fruits et de légumes. Elles cessèrent leur bavardage pour jeter des regards outrés à Indrani. Hindoues, comme le révélaient leurs vêtements et les bindis entre leurs sourcils, elles jugeaient outrageant le contact physique entre une femme de leur peuple et un étranger. Indrani ne baissa pas les yeux et serra le poignet de Mark jusqu'à ce que les silhouettes lourdes et les mines indignées des deux passantes se fussent évanouies dans la pénombre d'un escalier.

« Hébert était un vrai dingue ! souffla Fred, le teint cireux. Ou une ordure. Comment un homme comme lui a-t-il pu se lier avec des salopards comme les membres du Dalit ? »

Les traits d'Indrani se crispèrent un peu plus.

« Ne jugez pas sans savoir », dit-elle d'une voix sourde.

Des nuages bas et noirs s'amoncelaient au-dessus des toits, rendant la chaleur encore plus lourde et suffocante. Fred alluma une cigarette avant de revenir à la charge.

« Et ça ? gronda-t-il en désignant la porte de l'atelier. Et le massacre de Radnapoor ? De combien d'autres horreurs lui et son putain de virus sont-ils responsables ?

— Le Dalit a tiré parti des circonstances. » Le ton d'Indrani était morne, à présent, comme éteint. « L'idée du virus est venue par hasard, il y a une dizaine d'années. Une épidémie d'origine inconnue a détruit plusieurs plantations de soja géographiquement voisines. On a demandé à Jean Hébert de se pencher sur la question, et il a découvert que le responsable était une mutation d'un virus assez courant, le *Soybean Mosaic Virus*. Un virus qui infecte aussi bien le soja que la vigne, le cassis, ou le lupin… On le maîtrise assez bien, d'ordinaire. Mais la version mutante était particulièrement coriace. Jean y a passé beaucoup de temps, il en a parlé, le Dalit en a eu vent, et ses dirigeants ont demandé à Jean de mener plus loin la recherche, infiniment plus loin, pour faire du S.M.V. une vraie petite bombe, capable de réduire à néant les récoltes sur des millions de kilomètres carrés.

— Il n'était pas obligé d'accepter ! coupa Fred.

— Le Dalit a des moyens de pression. Et puis en contrepartie, il proposait à Jean des fonds pour mener d'autres travaux qui lui tenaient à cœur.

— Quelles recherches ? »

Elle eut un geste évasif.

Ramesh fit sa réapparition dans la cour.

« *Nobody*…

— Vous aviez raison, dit Mark. Le Dalit court deux lièvres à la fois. Venkatesh est passé par là, mais il a

eu le temps de lever le camp avant l'arrivée des Intouchables. Reste maintenant à savoir où le repêcher.

— Il nous contactera bientôt, affirma Indrani.

— À moins que ces salopards ne l'aient déjà
retrouvé… » murmura Fred en haussant les épaules.

Ils déjeunèrent au restaurant de l'hôtel Dasaprakash,
un immense bâtiment aménagé autour d'une cour
centrale où se dressaient quelques arbres pris d'assaut
par les macaques. Le restaurant était végétarien. Fred,
qui rêvait d'une bonne viande bien épaisse, dut se
contenter de riz, de dhal, de chapati et de légumes.
Mark, l'estomac noué, ne mangea presque rien.

Ramesh s'était chargé de prévenir la police depuis
une cabine de Sadar Patel Road.

« Ils ne lui ont pas ordonné de venir déposer ?
s'étonna Fred.

— Je lui ai demandé de garder l'anonymat, répondit Indrani. Je vous ai déjà dit que je n'ai pas confiance
dans la police du Karnataka.

— Vous préférez régler vos petites affaires entre
vous, hein ? C'est pour ça que votre gorille est
armé… »

Elle pencha la tête avec un petit sourire narquois.

« Parfois il faut suivre la voie de la dévotion, parfois
celle de la connaissance. Et parfois celle de l'action.
C'est ce qu'enseigne le seigneur Krishna dans la Bha-
gavad-Gîtâ.

— L'action ? Vos Intouchables sont en plein
dedans !

— Il leur manque l'essentiel : le détachement.
Quelle que soit la légitimité de ses revendications, le
Dalit reste prisonnier de sa haine.

— Si je comprends bien, votre Krishna vous absout si vous tuez de sang-froid. Ce genre d'argument ne sert qu'à justifier les pires saloperies. »

Mark ne comprenait que trop bien ce que voulait dire Indrani. Lui-même s'interrogeait souvent sur les motivations qui l'avaient poussé à quitter l'astrophysique pour le *World Ethics and Research*. En embrassant la cause de l'éthique, ne cherchait-il pas à apaiser sa propre colère – cette colère qui brûlait en lui depuis qu'il avait appris la vérité sur son histoire familiale ? Sous le prétexte d'accomplir un devoir, ne poursuivait-il pas ses propres spectres ? Une chose était sûre, en tout cas : malgré les apparences, il était bien loin du détachement prôné par le seigneur Krishna.

Les clients avaient déserté la salle de restaurant. Les serveurs coiffés de turbans débarrassaient silencieusement les tables. Des gouttes de pluie crevaient le plafond des nuages et barbouillaient les vitres.

Fred reposa sa tasse de café à côté de son assiette. Sa tunique portait des traces grises de leur visite à la cave de la fabrique d'encens ainsi que des souvenirs colorés de son repas.

« Le moment est venu de jouer cartes sur table, attaqua-t-il en dévisageant Indrani. Je n'aime pas être mené en bateau, même par la plus jolie femme de l'Inde. En tant qu'incurable obtus, je veux comprendre pourquoi ces pauvres bougres sont morts. Je veux savoir quel est votre rôle dans cette affaire. »

Il alluma une cigarette et rejeta, par les narines, deux longs rubans de fumée qui se rejoignirent au-dessus de sa tête et le nimbèrent d'une auréole bleutée. Ses yeux noisette brillèrent comme des étoiles à forte magnitude dans un ciel nébuleux.

« Dites-nous pour qui vous travaillez, reprit-il d'une voix acérée. Un groupe bio-industriel ? Une organisation criminelle ? Les services gouvernementaux ? »

Du regard, Indrani implora Mark de mettre fin à cet interrogatoire. Il n'intervint pas. Avant de se rendre au rendez-vous fixé par Duane, il avait besoin de savoir, lui aussi, quels enjeux véritables se cachaient sous les massacres de Radnapoor et de Mysore. Et les questions affûtées du journaliste Cailloux taillaient dans la jungle des mystères comme autant de coups de machette.

« Ma fonction d'assistante n'était qu'une couverture, admit Indrani d'un ton las. Je suis une ancienne du Dalit, ce qu'on appelle une repentie.

— Pourquoi vous êtes-vous... repentie ?

— Ranjibar, le fondateur du mouvement, est revenu transformé de son premier séjour chez les Talibans. Il avait abandonné son projet politique pour s'allier avec les Naxalites et adopter une ligne terroriste dure. Je l'ai suivi un temps, j'ai armé les membres de la cellule de l'Uttar-Pradesh, j'ai moi-même posé des bombes. Et puis... »

Elle hésita, puis, fixant Mark droit dans les yeux :

« J'ai passé toute une nuit à côté du cadavre d'une fillette déchiquetée par une explosion. Une nuit qui m'a paru durer un siècle. J'ai compris que la fureur ne changerait pas ce pays et j'ai déserté. »

Elle demanda une beedi à Ramesh et l'alluma à la flamme d'une bougie.

« Je me suis réfugiée dans l'ashram de Ma Sudri, près de Varanasi. Ma Sudri m'a appris le respect de toute vie. Mais le sang sur mes mains n'a jamais séché.

— On commet tous des erreurs, murmura Mark.

— Certaines sont irréparables. Le passé a fini par me rattraper. Le gouvernement de Delhi a décidé d'utiliser d'anciens terroristes pour combattre le mouvement du Dalit. Les services secrets m'ont retrouvée et m'ont proposé un marché : ou j'acceptais de collaborer avec eux, ou je passais le reste de mes jours en prison. Ils avaient établi le lien entre la Carnatic Bio Tech et les Intouchables. J'ai donc réintégré le Dalit et, comme j'ai suivi une formation de biologiste, les services secrets se sont débrouillés pour me placer près de Jean Hébert…

— En tant qu'assistante ? demanda Fred.

— Jean avait l'habitude de travailler seul. Il n'avait pas vraiment besoin d'assistante.

— Qu'est-ce que vous étiez, alors ? Sa maîtresse ? »

Indrani marqua un nouveau temps d'hésitation.

« Je ne voudrais pas que vous vous mépreniez sur la nature de mes relations avec lui… »

Bien qu'elle fixât Fred avec obstination, Mark eut la nette impression qu'elle s'adressait à lui.

« Vous n'avez pas à vous justifier, marmonna le journaliste avec un haussement d'épaules. Vous étiez tous les deux majeurs. D'ailleurs, j'aurais été à la place d'Hébert…

— Dois-je prendre ça pour un compliment ? »

La pointe de dédain qui sous-tendait la voix de l'Indienne arracha un sourire jaune au séducteur Cailloux.

« Je suppose que vous avez exercé une influence sur Jean Hébert pour le dissuader de remettre le deuxième DVD à ses amis du Dalit, reprit-il après avoir allumé une cigarette et planqué son dépit derrière le rideau de fumée.

— Il avait pris sa décision bien avant mon arrivée. Mais il ne savait pas comment s'en sortir. »

Mark avala une gorgée de café tiède. Des trombes d'eau se déversaient sur les pavés de la cour intérieure dans un fracas de cataracte.

« C'est vous qui lui avez suggéré de se réfugier dans l'ashram de Radnapoor ?

— Je ne pensais pas que les Intouchables le localiseraient si vite.

— Et vous espériez sans doute que votre guru, Sri Ananda Trucmuche, récupérerait les travaux d'Hébert pour son propre compte… »

Ramesh fronça les sourcils : il n'avait pas besoin de comprendre les paroles de Fred pour en percevoir la teneur agressive.

« Il n'est pas mon guru, protesta Indrani. Il fait seulement partie de ces gens qui défendent la culture, l'âme même de mon pays.

— Tout est à vendre sur cette bonne vieille terre ! vitupéra Fred après avoir écrasé sa cigarette dans son assiette. Y compris l'âme de votre pays ! Y compris le caryotype de chaque individu ! La manipulation génétique supplantera bientôt la grâce divine. »

Indrani se raidit sur sa chaise. L'indignation teintait ses yeux d'ambre clair et soulignait la pureté de ses traits.

« Et ça ne vous révolte pas ?

— Je me borne à dresser un constat. Déformation de journaliste. J'avoue que j'aurais eu de la reconnaissance pour mes parents s'ils avaient eu la possibilité de me programmer encore plus beau, encore plus grand, encore plus intelligent. Le génie génétique n'est qu'une variation moderne et pratique du génie de la lampe. La quête de la perfection, voilà l'abîme dans lequel sombrera le monde. »

Rêve de pierre sur son écrin de pelouses, le palais Amber Vilas semblait tout droit surgi d'un conte des Mille et Une Nuits. De style indo-musulman, il contrastait avec les formes pyramidales et anguleuses des temples hindous qui l'entouraient et veillaient sur lui, gardiens intraitables de la tradition. Les rares visiteurs couraient vers les taxis et les rickshaws entre les averses crachées par les nuages bas et noirs.

« Je croyais que la mousson était finie ! » grommela Fred en levant un regard excédé sur le ciel.

Fred et Mark avaient acheté des parapluies à un vendeur d'Ashoka Road. Fred, qui avait tiré mille roupies à la Bank of Baroda de Gandhi Square – « C'est Gozic qui paie » –, avait passé dix bonnes minutes à marchander les prix, quinze roupies les deux parapluies au lieu de trente, histoire de se venger du chauffeur de taxi de Mumbai et du serveur de l'aéroport de Bangalore. Ils s'étaient ensuite rendus à la porte sud du rempart et avaient acheté deux billets d'entrée.

« Ne me dis pas que tu as réellement l'intention de visiter ce piège à touristes ! maugréa Fred, tandis qu'ils flânaient dans les allées détrempées des jardins.

— Je ne t'ai pas demandé de m'accompagner ! »

Mark avait même éprouvé de la contrariété lorsque l'emmerdeur Cailloux lui avait emboîté le pas au sortir du restaurant. Habitué à mener ses enquêtes en franc-tireur, il avait le sentiment qu'on ne transigeait pas avec la solitude dans certaines circonstances, qu'elle seule était un gage d'efficacité. Les partenaires – et cela valait également pour les femmes qui traversaient sa vie – créaient des interactions qui déplaçaient les priorités, modifiaient les perceptions et perturbaient les réflexes. Cependant, comme il ne voulait pas éveiller les soupçons d'Indrani – il avait prétexté, pour s'échapper du restaurant, un besoin pressant de se dégourdir les jambes –, il n'avait pas pu faire autrement que d'accepter la compagnie ronchonne de Fred.

Alors qu'ils approchaient de la porte principale du palais, quelqu'un les interpella. Sous le large parapluie noir qui avançait dans leur direction, ils reconnurent la silhouette de Duane. L'Américain avait troqué ses sandales, son dhoti et sa tunique contre des bottes de cuir, un jean, une chemise à carreaux et un gilet qui lui donnaient l'allure d'un cow-boy.

« *Hi, nice to see you again*, cria Duane en écartant les mèches folles qui lui balayaient le visage. *Fucking rain !* Venez à l'intérieur du palais, nous serons mieux pour parler... »

Fred décocha à Mark un regard furibond.

« Merci de m'avoir tenu au courant ! »

Ils replièrent les parapluies, franchirent un porche et se présentèrent devant le guichet où un contrôleur avachi vérifia négligemment leurs billets. Ils pénétrèrent dans une première salle au sol en mosaïque et au plafond d'acajou magnifiquement ouvragé. Duane repoussa d'autorité l'homme obséquieux et vêtu d'un somptueux uniforme qui vint leur proposer une visite guidée, « *for only two hundred roupies* ».

L'intérieur du palais, plus irréel, plus onirique encore que l'extérieur, semblait avoir été conçu dans le seul but de pérenniser la gloire et la munificence des maharadjahs de Mysore. Des groupes de touristes trempés apparaissaient et disparaissaient par les portes de bois sculpté, comme avalés et recrachés par de mystérieux labyrinthes. Les voix graves ou chuchotées des guides s'entrelaçaient sous les voûtes.

Duane entraîna Mark vers un coin sombre et désert de la salle.

« Renvoyez-le », murmura-t-il en désignant Fred.

Le ton autoritaire de l'Américain donna à Mark l'envie de faire exactement le contraire.

« Il reste avec moi. »

Fred se rapprocha en traînant des pieds. L'Américain se mordit la lèvre inférieure, comme s'il hésitait encore à le compter parmi ses alliés.

« Ça vous regarde. L'Indienne qui vous accompagne…

— Indrani ?

— Son vrai nom est Uttara Poodhyay. Elle travaille officiellement pour le compte du gouvernement de Delhi, mais, en réalité, elle est une… Comment dites-vous cela en français ? Ah oui, une taupe du parti ultranationaliste hindou. »

Fred émit un petit sifflement.

Guidé par une jeune Indienne en salwar, un groupe de Japonais s'égrena lentement par la plus proche des portes. Les flashes de leurs appareils photo criblèrent le clair-obscur de corolles aveuglantes.

« Comment le savez-vous ? » demanda Mark à voix basse.

Un sourire éclaira le visage de Duane.

« J'ai eu ces renseignements par le professeur Salinger. Votre patron, monsieur Sidzik… Et le mien. »

Les yeux de Fred s'arrondirent de surprise.

« Je ne vois pas de quoi vous voulez parler, lâcha Mark d'un ton glacial.

— Je comprends ce que vous ressentez, fit l'Américain avec une moue désolée. Avant de vous rencontrer, je croyais également être le seul enquêteur du W.E.R. Dans le train, j'ai pris une photo de vous et d'Uttara Poodhyay. Je l'ai expédiée à Salinger par le Net. Il m'a répondu que vous travailliez vous aussi pour le W.E.R.

— Salinger était au courant des travaux de Jean Hébert ?

— Depuis le début. Pour Hébert, la constitution d'une banque génétique de la biodiversité indienne n'était qu'un…

— Paravent ?

— Oui. Le Dalit lui avait commandé une arme génétique. Un virus mutant capable de ruiner la production agricole des États-Unis. Nom de code : *Kali*. Mais Jean Hébert se méfiait d'Uttara Poodhyay et de Sri Ananda Saraswati. C'est la raison pour laquelle il vous a fait venir en Inde. Il voulait vous remettre le deuxième DVD et vous demander de récupérer le premier dans le laboratoire clandestin du Dalit. »

Mark recoupa ces informations avec celles que lui avait données Indrani. Seul l'éclairage en était différent.

« Quelque chose m'intrigue, dit-il. Comment Hébert a-t-il pu savoir qu'Indrani… Uttara roulait pour les ultranationalistes hindous ?

— Un coup de fil anonyme lui a révélé la véritable identité d'Indrani Satyanand.

— Anonyme ? releva Fred avec une moue dubitative.

— Il m'arrive parfois d'être "anonyme". Salinger veut à tout prix éviter que le virus mutant de Hébert ne tombe aux mains des extrémistes musulmans. Ou hindous. Les uns ne valent pas mieux que les autres.

— Pas mieux en tout cas que les extrémistes financiers et militaires occidentaux ! persifla Fred.

— Hébert n'a pas essayé de se débarrasser d'Indrani ? demanda Mark.

— Impossible. Elle seule sait où se trouve le laboratoire clandestin du Dalit. Hébert pensait qu'elle vous y conduirait et qu'une fois sur place, vous vous débrouilleriez pour effacer toute trace de *Kali*.

— Pourquoi moi ?

— Quelqu'un a dû penser que vous étiez un bon cheval. Meilleur que moi en tout cas…

— Salinger ? »

Duane haussa les épaules.

« Il estime sans doute que ma tête est trop connue dans le coin. Je vous suivrai à distance, discrètement. J'interviendrai en cas de pépin, et je prendrai le relais si les choses tournent mal.

— Et votre amie, Janet ? Elle a quelque chose à voir avec tout ça ? »

L'Américain eut une moue ironique.

« Janet ? Elle croit encore que les antibiotiques, les vaccins, les OGM et la charité chrétienne peuvent encore sauver le monde !

— Comment garderons-nous le contact ?

— Ça, c'est mon job. Le vôtre, c'est de vous laisser guider par Uttara Poodhyay jusqu'au laboratoire clandestin du Dalit. Elle est suffisamment futée pour passer au travers des mailles du filet du Dalit. Méfiez-vous d'elle : c'est un vrai cobra. »

Avant de regagner l'hôtel, Fred et Mark s'arrêtèrent dans une gargote d'Ashoka Road pour s'abriter de la pluie battante et boire un café. Des centaines de badauds se pressaient sur la place de New Statue

Circle, indifférents aux trombes qui martelaient le bitume et le sable. Les rickshaws, les automobiles et les bus avançaient au ralenti, créant un début d'embouteillage. Des cornacs peinaient à maîtriser leurs éléphants, excités par la pluie, la foule, les odeurs, le vacarme.

Fred essuya les gouttes dévalant ses joues et commanda un deuxième café au serveur, un albinos d'une quinzaine d'années au visage strié de plaques roses et aux yeux rouge rubis. À la table voisine, deux hommes disputaient une partie d'échecs en grignotant des noix de cajou. Un chant dévotionnel se déversait par une radio posée sur le comptoir. Des spirales fascinantes se chevauchaient sur l'écran plat d'un ordinateur. Les lueurs des bougies dressées sur le socle d'une statuette de Shiva étiraient des ombres pâles et dansantes sur les murs blanchis à la chaux.

« Si j'ai bien compris ton collègue américain, nous sommes chaperonnés par une vraie salope », lança Fred.

Mark observa pendant quelques secondes la herse de pluie qui labourait le trottoir.

« Mon collègue, ça reste à prouver. Et j'ai du mal à croire qu'Indrani roule pour les ultranationalistes hindous. Ça ne cadre pas avec son personnage. »

Au sourire froid et à l'intensité soudaine du regard de Fred, Mark se prépara à essuyer une attaque cinglante.

« Si elle avait une sale tronche, tu te ferais très bien à cette idée. Double déception aujourd'hui, hein ? Un corps somptueux abrite une âme pourrie, et ce cher Salinger, l'intégrité faite homme, joue avec ses pions comme le dernier des mafieux. À qui se fier en ce bas monde ? »

118

Fred humait les faiblesses humaines avec la férocité d'un requin attiré par l'odeur du sang. Il y avait une part de jalousie, de dépit dans ses coups de dents, quelque chose comme la tentation permanente de déchiqueter un modèle, mais également et surtout l'affirmation d'une tendresse sincère et maladroite.

« On peut appeler les États-Unis ou l'Europe avec ton mobile ? » demanda Mark.

Fred tira l'appareil de la poche intérieure de sa veste.

« Faudrait que je songe à le recharger un de ces jours. Je viens de m'abonner à la WCW, la World Communication Web, une toile planétaire couverte par quatre satellites qui relaient les réseaux locaux. Ils lancent une gamme de MPCT, les mobiles PC-téléphones à reconnaissance vocale avec lesquels on pourra directement communiquer sur le Net. Dernier stade avant la mutation technologique : dans deux ou trois ans, on sera tous bardés de puces, marqués à jamais du sceau d'IBM et de ses clones.

— Le sceau de la bête ? » glissa Mark en composant le numéro parisien de Salinger.

Il tomba sur la boîte vocale. Il se souvint alors que, lors de leur dernier entretien, le professeur lui avait annoncé son départ pour une mission d'inspection médicale d'une quinzaine de jours en Afrique noire. Il essaya son numéro de portable. Une voix crachotante lui annonça, dans un mauvais anglais, que la communication ne pouvait aboutir pour l'instant.

« Nous n'avons pas d'autre choix que de faire confiance à Duane, soupira-t-il en rendant le téléphone à Fred.

— Qu'est-ce que tu voulais dire avec le sceau de la bête ? »

Mark porta la tasse à ses lèvres et but une gorgée de café tiède dont l'amertume lui plissa les yeux.

« *Apocalypse de saint Jean*, XIII, versets 16, 17 et 18.

— C'est pas une réponse.

— *À tous, petits et grands, riches et pauvres, hommes libres et esclaves, la bête impose une marque sur la main droite ou sur le front. Et nul ne pourra acheter ou vendre s'il ne porte la marque, le nom de la bête ou le chiffre de son nom...*

— Nom de Dieu, Sidzik, ne me dis pas que t'es devenu apocalyptique ! gémit Fred. Je te rappelle que tous les zozos qui prophétisaient la fin du monde pour 2000 se sont retrouvés la queue entre les jambes avec leurs prévisions et leurs moulins à prières ! »

Mark sourit.

« Pourquoi l'an 2000 ? Pourquoi pas 2008... ou 2020 ? »

Ils regagnèrent l'hôtel Dasaprakash à la faveur d'une éclaircie. Le ciel et la ville avaient repris des couleurs à une vitesse étonnante. Au croisement d'Ashoka Road et de Sadar Patel Road, ils rencontrèrent un Saddhu entièrement nu et perché sur des chaussures à semelles de bois dont l'intérieur était garni de clous. Il marchait avec une extrême lenteur en direction de New Statue Circle. Probablement avait-il traversé l'Inde du nord au sud sur ces pointes effilées qui lui écorchaient les pieds dans le simple but de tremper le fer de sa souffrance au feu de sa volonté. Personne ne prêtait attention à cet alchimiste de l'inutile, personne ne se formalisait de sa nudité, de sa maigreur, de ses plaies purulentes. Comme s'il évoluait dans un autre espace-temps. Mark le contempla un long moment. Étrange et fascinante Inde qui accorde une telle place à la pudeur, à la bienséance, au rituel, et qui, en même temps, témoigne d'une tolérance – d'aucuns parleraient d'indifférence – inimaginable dans la plupart des autres pays.

« On devrait lui offrir un caleçon et une nouvelle paire de godasses ! » s'esclaffa Fred.

Assise sur une banquette en rotin, Indrani les attendait à la réception de l'hôtel, les traits creusés par l'anxiété. Elle avait passé un sari et un choli vert clair qui mettaient en valeur le cuivre de sa peau. Une odeur de sésame émanait de ses cheveux huilés et rassemblés en natte.

« Où étiez-vous passés ? dit-elle en s'avançant vers eux. J'étais inquiète…

— Se promener n'est pas encore un délit, dans ce pays ! »

L'agressivité de Fred brisa net l'élan de la jeune femme, qui se figea devant le comptoir de la réception.

« Le Dalit a des yeux et des oreilles partout, dit-elle d'un ton dur.

— Paranoïaque, avec ça ! ricana Fred.

— Vous n'avez pas l'air de comprendre que nous sommes en guerre. Les satellites nous épient sans relâche. L'Inde est devenue un enjeu économique et stratégique de la plus haute importance. Si le gouvernement de Delhi ne s'était pas doté de l'arme nucléaire à la fin des années 1980…

— Parlons-en ! coupa Fred. Ce pays a une dette colossale, sa population crève de faim, et il dépense des millions de dollars pour s'équiper de bombinettes qui ne font plus peur à personne ! Ne me dites pas que vous, une terroriste repentie, vous approuvez ce genre de politique ? »

Elle le toisa avec insolence.

« Vous me faites penser à ces hommes qui donnent les premiers coups et qui viennent ensuite demander des comptes à ceux qui ont l'audace de riposter. Qui a inventé la bombe nucléaire, monsieur Cailloux ? »

Fred se laissa tomber sur le canapé en rotin et lança un regard de biais à Mark. Samuel Sidzik avait précisément appartenu à ce groupe de physiciens qui avaient élaboré l'arme ultime de l'ère du feu. Il avait voulu se rétracter devant la perspective de destruction massive qui, cinquante-six ans après son « suicide », continuait de planer sur l'humanité. Les hommes n'en avaient tiré aucune leçon, malgré le devoir de mémoire dont se réclamaient, au gré de leurs intérêts, les politiques, les scientifiques et les intellectuels.

« Avant l'arrivée des colonisateurs, l'Inde subvenait aux besoins vitaux de l'ensemble de sa population ! » poursuivit Indrani d'une voix tremblante de colère.

Surpris par son éclat, le réceptionniste leva le nez de sa revue et la dévisagea d'un air ébahi. La nuit n'était pas encore tombée, mais déjà les contours du hall, les meubles et les plantes s'évanouissaient dans les replis d'une pénombre tentaculaire.

« On a vu nettement mieux que l'Inde ancienne comme modèle de justice, rétorqua Fred.

— Vous considérez sans doute les pays occidentaux comme des modèles de démocratie ! L'Angleterre, la France et l'Allemagne ont bâti leur fortune sur le pillage de leurs colonies, les États-Unis sur le génocide des nations amérindiennes. Leurs vêtements, leurs chaussures, leurs téléviseurs, leurs voitures sont fabriqués par les populations des pays qu'ils ont affamés et qu'ils écrasent sous un joug économique implacable via le FMI ou l'OCDE. Ils maintiennent au pouvoir des chiens qui leur mangent dans la main, ils viennent par avions entiers assouvir leurs pulsions perverses avec des enfants pour une poignée de dollars ou d'euros, ils soulagent leur conscience en organisant des actions humanitaires qui engendrent une dépendance sans cesse grandissante, ils polluent, ils détruisent les forêts, ils négocient les matières premières à des prix dérisoires…

— Au secours ! lança Fred. On est tombés sur la starlette du nationalisme hindou !

— Le nationalisme ou l'intégrisme ne sont que les effets pervers de la volonté hégémonique des marchés. De quelle autre solution les pays du Sud disposent-ils pour se sortir de l'impasse ? Mon pays a été entraîné dans une tempête qui a d'abord soufflé en Occident. »

Elle se tut, baissa la tête et garda les yeux fixés sur les ongles nacrés de ses pieds, comme épuisée. Le réceptionniste replongea le nez dans sa revue tout en continuant de lui lancer de brefs regards où se mêlaient étroitement curiosité, admiration et réprobation.

« Nous partons, reprit-elle d'une voix lasse.

— Venkatesh vous a contactée ? releva Fred. Vous auriez pu le dire plus tôt !

— Sa voiture est tombée en panne à Mangalore. Il nous attend chez des amis qui habitent sur le vieux port.

— On y va en train ?

— Ramesh est parti louer une voiture. Les liaisons ferroviaires sont interrompues entre Mysore et Hassan en raison des travaux d'écartement des voies. Nous couperons par les Ghats occidentaux.

— Il nous faudra combien de temps ?

— Quatre ou cinq heures. Peut-être davantage selon l'état des routes. »

Ils quittèrent Mysore vers dix-sept heures, à la nuit tombée. Ramesh avait loué un 4 × 4 Swaraj-Mazda diesel dont le compteur indiquait quatre-vingt mille kilomètres mais dont la carrosserie et les suspensions fatiguées en avouaient plutôt deux cent cinquante mille. Hybride de technologie japonaise et indienne, dépourvu du minimum de confort, il associait allègrement les lignes courbes, élancées, du début du XXIe siècle et les formes lourdes, carrées, des années 1970. La sécurité avait été le cadet des soucis de ses concepteurs : il ne disposait pas de ceintures, encore moins d'airbags. Les sièges délabrés tressautaient à chaque dos-d'âne, à chaque nid-de-poule. Une écœurante odeur de gasoil imprégnait l'habitacle, et le ronflement du moteur provoquait une vibration permanente du plancher, du hayon et des portières.

Fred s'était installé devant à côté de Ramesh. Indrani et Mark se partageaient la banquette arrière. Après vingt kilomètres d'une route acceptable, ils entamèrent leur ascension vers les Ghats occidentaux dont les sommets culminaient à près de deux mille mètres. La mousson ayant apporté son lot d'éboulements, la voie s'était subitement rétrécie. Des bandes de terre nue crevaient le bitume et apparentaient des tronçons entiers à des pistes de brousse.

Des obstacles de toute nature – rochers, engins de chantier, vaches, buffles, éléphants, charrettes, cyclistes, branches d'arbres – surgissaient sans cesse dans le faisceau blanc des phares, obligeant Ramesh à freiner, à rétrograder, à frôler les précipices. Fred serrait les fesses à chaque fois que le 4 × 4 s'aventurait sur les troncs qui, reliés les uns aux autres par de simples cordes de chanvre, remplaçaient les ponts anéantis par les glissements de terrain. Le croisement avec un bus ou un camion prenait des allures de grandes manœuvres : Ramesh devait immobiliser le Swaraj-Mazda, le caler contre le flanc de la montagne ou le plus près possible du bord du gouffre. Parfois, il n'avait pas d'autre choix que de reculer sur trois ou quatre cents mètres pour dégager le passage.

La pluie avait cessé, mais l'obscurité et les projections de boue rendaient la visibilité quasi nulle. De temps à autre, l'Indien descendait pour nettoyer les rétroviseurs et les vitres à l'aide d'un chiffon. Quand cela ne suffisait pas, il passait le haut du corps par la portière ouverte et, une main posée sur le volant, le pied coincé sur l'accélérateur, il conduisait tout en essuyant le pare-brise avec la manche de sa chemise. Son calme apparent, sa nonchalance même accentuaient par contraste la nervosité de Fred. Lui se détendait seulement lorsqu'il apercevait, de chaque côté de la route, les forêts de tek ou de santal blêmies par les phares.

De temps à autre, les regards d'Indrani – Uttara ? – et de Mark se croisaient dans l'ombre de l'habitacle. Malgré les révélations de Duane, il ne ressentait curieusement ni colère ni mépris envers la jeune femme. Elle exerçait sur lui une attraction à laquelle il n'avait pas la force de se soustraire. Une fascination qui provenait d'une zone très profonde de lui-même, là où se terraient les désirs et les terreurs inexplicables.

Ils traversèrent plusieurs villages transformés en marécages par les averses des jours précédents. À la lueur de lampes à pétrole, des hommes, des femmes et des enfants dégageaient à la pelle la boue amoncelée autour des maisons de torchis, remplissaient des char-rettes tirées par des éléphants ou des attelages de buf-fles.

« La mousson était jadis une corne d'abondance et de joie, dit Indrani. Elle est maintenant une source de peine.

— Je parie que vous allez nous servir un refrain sur le dérèglement du climat, comme les vieux de mon bled natal, grinça Fred sans quitter la route des yeux.

— Les Occidentaux n'arrivent pas à comprendre que tout est relié par une toile invisible sur cette terre. Pourtant, l'effet papillon…

— … n'a jamais été prouvé ! Ce n'est qu'une théo-rie. Notre planète a connu d'autres dérèglements cli-matiques qui ont entraîné la disparition de certaines espèces et l'émergence de nouvelles. Je croyais que votre tradition était familière de la notion de cycle.

— Ce n'est pas parce que nous sommes plongés dans le Kali-yuga que nous ne devons pas penser à l'avenir.

— Bah, votre Kali n'est pas si méchante que ça. Quoi qu'en disent les mauvais augures, l'humanité se relèvera de ses erreurs, comme elle l'a toujours fait. »

Ils s'arrêtèrent dans une auberge de la périphérie de la petite ville de Kushalnagar. Ils dînèrent en silence dans une salle déserte à la lueur des bougies, l'électri-cité étant coupée depuis trois jours. Quelques guirlan-des de fleurs s'entrelaçaient au plafond et sur la statuette d'un autel, vestiges fanés de la fête de Diwali et du nouvel an jaïn. Malgré la vétusté et la propreté douteuse de l'établissement, ils mangèrent de savou-reuses *papadam*, des galettes frites de farine de len-tilles qui accompagnaient le traditionnel thali. Le patron du restaurant, un vieil homme desséché, leur versait du chai dès que leurs tasses étaient vides et rajoutait à profusion du riz, du dhal ou des légumes sur la feuille de bananier qui leur servait d'assiette.

Mark ne prononça pas un mot de tout le repas. Il sentait un souffle froid sur sa nuque et ressassait des pensées plus sombres que la nuit.

Ils repartirent une heure plus tard. Contrairement à ce qu'avait espéré Fred, la route continuait de s'entortiller autour des flancs abrupts des Ghats occidentaux. Si des barrières en bois signalaient la plupart des difficultés, d'autres surgissaient inopinément dans le faisceau des phares, rochers éboulés, rétrécissement de la voie, troncs couchés en travers… Par bonheur, la circulation était pratiquement nulle dans le sens opposé.

Un cahot particulièrement violent précipita Indrani sur Mark. Comme à chaque fois qu'ils s'étaient effleurés, il fut brusquement aspiré par elle. Il lui sembla d'ailleurs qu'elle ne faisait rien pour éviter les contacts, qu'elle s'arrangeait même pour les provoquer et les prolonger. Dès qu'ils s'écartaient l'un de l'autre, les sensations s'estompaient et cédaient la place à une sensation amère de désenchantement. Il se remémora les paroles de Duane et observa la jeune femme à la dérobée. Dans l'obscurité de l'habitacle, les éclats fugitifs de ses yeux rappelaient bel et bien le regard d'un serpent.

Alors qu'ils franchissaient une portion relativement dégagée et plane, ils furent rattrapés par un véhicule qui roulait à vive allure derrière eux. Ramesh ralentit aussitôt et se rapprocha du bas-côté pour le laisser passer.

« Y en a qui sont pressés, on dirait ! » grommela Fred.

Mais, au lieu de déboîter, l'autre véhicule fonça droit devant lui et vint percuter de plein fouet le pare-chocs arrière du 4 × 4. Une violente secousse les arracha tous les quatre de leur siège. La tête de Fred heurta durement le pare-brise.

« C'est un dingue ! » hurla-t-il.

Mark eut le réflexe de tendre un bras devant lui pour amortir le choc et l'autre sur le côté pour retenir Indrani. Il lança un regard par la vitre arrière.

L'autre véhicule accéléra, prit le 4 × 4 en travers et le poussa vers le ravin.

9

La roue arrière droite surplombait déjà le vide quand, d'un coup de volant désespéré, Ramesh réussit à ramener le Swaraj-Mazda sur la route. Le 4 × 4 partit dans une impressionnante glissade, heurta brutalement la paroi rocheuse, resta un moment en équilibre avant de retomber sur ses quatre roues et de caler.

Les phares de l'autre véhicule déversaient leur lumière menaçante dans l'habitacle. Fred se redressa et se retourna vers Mark. Une énorme bosse commençait à lui déformer l'arcade sourcilière.

« *Be careful !* » hurla Ramesh.

Il démarra, embraya, accéléra. Une rafale de fusil d'assaut pulvérisa la vitre arrière. Le 4 × 4 trembla de toute sa carcasse, patina, s'arracha enfin de la boue dans un formidable rugissement, racla la bordure de roche dans un grincement assourdissant. Le pare-brise explosa à son tour et dégringola en pluie sur le tableau de bord.

Imperturbable, Ramesh accéléra. Le véhicule attaqua en ululant une série de lacets. Les phares de son poursuivant cessèrent de briller dans ses deux rétroviseurs intacts. Un courant d'air frais balaya l'habitacle. Baigné d'un grand calme, comme à chaque fois que sa vie était en jeu, Mark se releva, lança un regard par la vitre arrière béante et scruta l'obscurité pendant quelques secondes.

« Je ne les vois plus », cria-t-il.

Fred se tenait le front tout en lançant des coups d'œil affolés par-dessus son épaule. Le désordre de ses cheveux giflés par le vent jurait avec la fixité cadavérique de ses traits. Concentré sur la conduite, Ramesh n'utilisait pratiquement plus la pédale de frein, esquivant au dernier moment les éboulis, corrigeant les dérapages par des coups de volant aussi vigoureux que précis. La route s'élargissait à mesure qu'ils se rapprochaient du col, bordée par endroits de hautes digues de pierre sèche. Les nids-de-poule avaient été comblés avec des pavés, et des parapets métalliques, souvent défoncés, longeaient les lacets les plus dangereux.

Avec le haut de son sari, Indrani essuya les gouttes de sang qui perlaient d'une coupure à sa tempe, rajusta son choli dont quelques boutons s'étaient dégrafés, croisa le regard interrogateur de Mark.

« Juste une égratignure…

— Personne ne s'inquiète de mon sort ? grogna Fred. Je vous signale que j'ai le crâne à moitié défoncé et que je ne vois plus rien d'un œil !

— Une tête de Cailloux, c'est solide, en principe…

— L'humour de Sidzik, c'est innommable ! »

La puanteur de gasoil et d'huile reculait devant les odeurs de résine. Les suspensions fatiguées gémissaient à chaque virage, à chaque aspérité. Les yeux plissés de Ramesh volaient sans cesse de la route au rétroviseur.

« Je me demande comment ils ont pu nous localiser », murmura Indrani en épongeant de nouveau sa blessure.

Les taches de sang s'épanouissaient comme des motifs de batik sur la soie de son sari.

« Ils, ce sont vos Intouchables ? demanda Fred.

— Qui voulez-vous que ce soit d'autre ? Des promeneurs pris d'une envie subite de nous pousser dans un ravin ? »

Ramesh désigna le rétroviseur d'un mouvement du menton et glapit quelques mots en kannada. Mark et Indrani se retournèrent. L'œil étincelant d'un phare brillait par intermittence entre les lacets et les bosquets. Pendant quelques minutes, le Swaraj-Mazda sembla maintenir la distance avec ses poursuivants, mais l'illusion, entretenue par la succession de courbes et de dénivellations, s'évanouit à la première ligne droite. Ramesh eut beau rétrograder, écraser la pédale d'accélérateur, l'autre véhicule, plus puissant, fondit sur le 4 × 4 à la vitesse d'un oiseau de proie. Le pinceau mouvant de son phare miroitait sur le bitume inégal et transperçait les étoupes nuageuses qui calfeutraient les reliefs.

« On n'est pas sortis de l'auberge ! » soupira Fred.

Ramesh retarda l'échéance à la faveur d'une nouvelle série de virages. Il reprit même un peu d'avance au prix de risques insensés. Les phares ricochaient à présent sur un véritable mur de brume, se désagrégeant de temps à autre sur les aiguilles d'un sapin ou sur les pointes effilées d'un surplomb rocheux. L'humidité glaciale empoissait cheveux et vêtements. Avec la visibilité réduite, l'état de la route, la proximité des ravins, les quatre-vingts kilomètres/heure affichés par le compteur leur donnaient la sensation de rouler à une vitesse démente. Elle ne suffisait pas à semer les Intouchables, qui profitaient de la moindre ligne droite pour reprendre le terrain perdu dans les passages accidentés.

Des projectiles miaulèrent sur le pare-chocs et le hayon arrière. Fred se recroquevilla sur son siège. Il ne savait plus s'il devait craindre la chute dans le vide, une balle dans la nuque, l'explosion du réservoir ou le débordement de sa vessie.

Le véhicule des Intouchables éperonna le Swaraj-Mazda en haut d'une côte. Le fort pourcentage réduisant la vitesse, la collision ne provoqua qu'une faible embardée rattrapée sans difficulté par Ramesh.

« Sors de la route et roule tous feux éteints ! cria Mark. C'est notre seule chance. »

La main d'Indrani vint se glisser dans celle de Mark ; un oisillon brûlant et tremblant.

« T'en as de bonnes ! rétorqua Fred, recroquevillé sur son siège. On n'y voit pas à dix mètres. »

Les phares débusquèrent des formes lointaines et mouvantes dans la brume. Des étoiles éphémères luirent sur le fond de ténèbres. Des yeux. Un troupeau d'antilopes, des nilgai, des « bœufs bleus ». Figées au milieu de la route, terrorisées par le hurlement du moteur, hypnotisées par les faisceaux puissants des phares. Un coup de klaxon les tira de leur hébétude et donna le signal de la débandade. Les unes escaladèrent maladroitement le rocher qu'elles venaient de dévaler, les autres se jetèrent dans le vide, d'autres enfin se précipitèrent au-devant du 4 × 4. Ramesh esquiva les premières, en renversa une avec l'aile avant droite, en percuta une deuxième de plein fouet. Le choc la souleva du sol et la projeta sur le capot. Elle glissa peu à peu, disparut sous les roues, resta coincée par les cornes à la calandre, fut traînée sur une trentaine de mètres avant de se décrocher. Ramesh se fraya un passage au milieu du troupeau. Comme averties par le sacrifice de leur congénère, les antilopes esquivaient avec une extraordinaire agilité le Swaraj-Mazda lancé à toute allure. En revanche, elles perçurent trop tard le grondement et la lumière du véhicule des Intouchables, qui en faucha une dizaine et dut s'immobiliser en attendant la dispersion des animaux paniqués.

« On les a eus, ces salauds ! » hurla Fred.

Tous feux éteints, le 4 × 4 progressait au ralenti dans le sentier de terre qui serpentait au milieu des résineux. La nuit était tellement noire qu'ils ne distinguaient pas les branches basses griffant les ailes et le capot. Bien que Ramesh eût mis le chauffage, un froid de plus en plus intense s'invitait par les vitres béantes. Fred ne regrettait pas d'avoir gardé son épaisse veste de laine. En parfait représentant de la gente masculine, il s'était bien gardé de la proposer à Indrani, grelottante.

Fred était volontiers partisan de la muflerie lorsque son confort était menacé. Jamais il n'aurait cédé sa place dans les transports en commun, pas même à une femme âgée ou enceinte. Question de principe. À ceux qui s'offusquaient de son comportement, il rétorquait qu'il était né emmerdeur, qu'il n'était pas sensible à la pression judéo-chrétienne, qu'il ne cherchait pas à se fondre dans le « socialement correct ». Son cynisme avait le mérite de la franchise, mais, et ce n'était pas le moindre de ses paradoxes, il n'était pas sincère. Ou plus exactement il ne correspondait pas à sa véritable nature. Il pestait contre le Téléthon, le Sidathon et toutes les « grandes-messes-médiatiques-en-thon » concélébrées sur l'autel de la misère humaine, mais il lui était déjà arrivé d'ouvrir sa porte à un sans-abri croisé en bas de son immeuble. Il ne s'en vantait pas. C'était sa manière à lui de se garantir de l'hypocrisie ambiante et des déceptions.

Une silhouette se détacha de la nuit, se porta au-devant du 4 × 4 et écarta les bras pour contraindre Ramesh à s'arrêter. Le visage d'un homme se découpa dans le carré de la vitre avant droite. La trentaine, peut-être moins, une usure prématurée, un foisonnement de rides sous une chevelure épaisse et luisante, une fine moustache, des yeux pénétrants, un tee-shirt blanc et troué. L'homme examina Fred avec méfiance avant de libérer un flot de paroles aux intonations gutturales.

« Il dit qu'il s'appelle Amri. » La voix d'Indrani tremblait légèrement. « Sa tribu campe à moins de deux cents pas d'ici. Quand ils ont entendu le bruit du moteur, ils ont eu peur que ce ne soit une descente de l'armée ou de la police.

— Pourquoi ? s'étonna Fred. Ils ont quelque chose à se reprocher ?

— Leur condition d'errants. Le gouvernement de Delhi a décidé de recenser et de sédentariser les tribus. L'armée organise parfois des rafles massives. Les membres des tribus sont séparés et déportés dans les banlieues des villes. »

Amri ajouta quelques mots avec une véhémence qui incita Fred à se reculer.

« Il nous invite à passer la nuit dans le campement, traduisit Indrani.

— Ce n'est pas… euh, risqué ?

— L'hospitalité est pour eux un devoir sacré. Et les vrais risques, nous les prendrions sur la route.

— Il faudrait peut-être prévenir Venkatesh », suggéra Mark.

Indrani marqua un temps de silence.

« Venkatesh est mon supérieur hiérarchique. Je ne peux pas l'appeler. C'est à lui, et à lui seul, que revient le choix de décider des contacts. »

Des lampes à huile et des lanternes suspendues dispensaient un éclairage diffus entre les maisons de toile. La tribu campait le long d'un torrent gonflé par les pluies et dont le fracas résonnait avec la force d'un orage permanent. Une ribambelle d'enfants curieux les accueillit à leur arrivée. C'était à qui les saisirait par la main, leur sauterait sur le dos, leur agripperait les jambes, les tirerait à hue et à dia. Sans doute à cause de ses cheveux roux, de son teint pâle et de la bosse qui lui donnait des faux airs de monstre, Fred était l'objet de toutes les sollicitations.

Si la plupart des hommes étaient vêtus, comme Amri, de lenga, de tee-shirts ou de tuniques, les femmes portaient des tenues somptueuses, des robes et des voiles brodés de passementeries d'argent ou de fils d'or. Les lourds bijoux qui leur encerclaient le cou, les poignets et les chevilles tintaient à chacun de leurs mouvements. Avec le troupeau de chèvres, la vingtaine de buffles, les deux éléphants et les quelques charrettes bâchées, c'était la seule richesse apparente de la tribu.

Au grand soulagement de Fred, Amri dispersa les enfants et introduisit ses hôtes dans la tente d'un vieil homme. Sa longue barbe blanche encadrait un visage martelé par le soleil, la pluie et le vent. Son torse nu était un tronc desséché et ses bras, des branches noueuses agitées par la brise. Assis en tailleur sur une natte, il fumait une longue pipe qui contenait, à en juger par l'odeur, autre chose que du tabac. Mark essaya de soutenir son regard étonnamment perçant et eut aussitôt la sensation d'être mis à nu. De temps à autre, une femme se glissait dans la tente pour raviver le feu défaillant d'un foyer central dont la fumée s'évadait par l'étroite ouverture du toit. Les ombres soulevées par la lueur des flammes léchaient les cloisons frissonnantes.

Le vieil homme se lança dans un long monologue, s'interrompant régulièrement pour laisser à Indrani le temps de traduire. Il précisa d'abord que sa tribu et d'autres étaient protégées par un statut particulier défini par une convention de l'ONU. Mais elles occupaient un certain nombre de territoires convoités par les grands groupes industriels, et comme le gouvernement ne pouvait pas modifier leur statut, il faisait disparaître les tribus.

Lui et les siens se réfugiaient dans les Ghats pendant les grosses chaleurs de l'été et regagnaient les forêts après la mousson. Même s'ils achetaient leurs réserves de riz, d'épices et de dhal aux paysans du plateau, ils vivaient principalement de chasse, de pêche et de cueillette. Ils avaient abandonné les armes traditionnelles de leurs ancêtres pour s'équiper de vieux fusils Lee-Enfield bradés cinquante ans plus tôt par l'armée anglaise – il n'y a pas de petit profit. Ils s'installaient dans des endroits difficiles d'accès et disposaient des guetteurs jour et nuit autour des campements, prêts à fuir à tout moment. Cela faisait plus de vingt ans qu'ils jouaient à cache-cache avec les forces de l'ordre indiennes.

Le vieil homme évoqua ensuite l'histoire et les mythologies de sa tribu, laquelle, selon lui, avait existé et prospéré bien avant les invasions aryennes. Il affirma que le gouvernement de Delhi – il cracha par terre – ne l'empêcherait pas de conserver et de transmettre la mémoire de son peuple.

« Car, ajouta-t-il, si la mémoire des tribus se perd, c'est toute l'humanité qui se perd.

— C'est l'évolution, grommela Fred. Combien de peuples ont déjà disparu, combien de mémoires se sont effacées ? On ne peut pas revenir sans cesse sur le passé. »

Le vieil homme écouta attentivement la traduction d'Indrani et tira deux bouffées de sa pipe. Un large sourire dévoila sa denture d'une blancheur insolite. Il tendit en direction de Fred une main aux doigts écartés.

« Les êtres humains sont comme les doigts de la main, traduisit Indrani. Coupez un doigt, la main continue à cueillir les fruits. Coupez-en deux, puis trois, puis quatre, elle perd son habileté. Coupez le dernier, elle ne sert plus à rien. »

La métaphore frappa Mark. Ces mots simples définissaient mieux qu'un long discours le sens de son engagement au sein du *World Ethics and Research*. La science, trop souvent, refusait d'écouter les voix des anciens, se laissait corrompre par les marchés et se prêtait aux destructions massives d'espèces animales et végétales. Et Mark ne supportait pas qu'elle participe au nouveau saccage du monde.

Le visage de Duane lui effleura l'esprit. Il lui fallait d'urgence joindre Salinger, savoir quel était le rôle exact de l'Américain dans l'organisation du W.E.R.

Le vieil homme conversa encore pendant quelques minutes en ourdou avec Indrani. Un adolescent apporta cinq tasses d'argile fumantes sur un plateau d'argent ; un thé noir au goût âpre où se mêlaient les saveurs végétales et minérales.

« C'est quoi, ce truc ? grimaça Fred.

— Une boisson revitalisante, répondit Indrani. Une recette ancestrale.

— Vraiment dégueulasse. On ne risque pas de lui piquer le brevet !

— Il m'expliquait justement que la tribu a reçu la visite d'Occidentaux qui cherchaient à le faire parler. Mais il n'a vu en eux que des *rakchasas*, et il ne leur a rien dit. Il m'a également demandé ce que vous étiez venus faire en Inde.

— Que lui avez-vous répondu ?

— Que vous luttiez à votre manière pour que la main humaine conserve chacun de ses doigts. »

Mark la dévisagea avec étonnement. Elle se contenta de sourire, de baisser la tête et de tremper ses lèvres dans sa tasse. Sa blessure à la tempe avait cessé de saigner. La petite dissymétrie qu'elle provoquait mettait en valeur l'ovale parfait de son visage.

Tandis que Fred et Ramesh ronflaient à ses côtés, Mark ne parvenait pas à retrouver le sommeil. Amri leur avait attribué une tente vide dans laquelle avaient été disposées des nattes superposées, des couvertures et une lampe à huile suspendue. Bercé par le chant grave du torrent et les froissements des cloisons de toile, Mark s'était assoupi en dépit de la dureté des nattes, puis il s'était réveillé, couvert de sueur de la tête aux pieds. La lampe s'était éteinte. Le vacarme du torrent, les bourdonnements des insectes, les sifflements du vent, les béguètements des chèvres, les soupirs des dormeurs, le battement de son propre cœur prenaient une résonance inhabituelle, presque inquiétante, dans l'obscurité de la tente. De même, ses mains posées à plat sur la couverture ressentaient avec une étonnante acuité la consistance de la laine. Il lui semblait toucher le cœur même des fibres, leur structure atomique, leur qualité vibratoire.

Le thé servi dans la tente du vieil homme n'était probablement pas étranger à l'extraordinaire affinement de ses perceptions. Mais en ce cas, Fred et Ramesh auraient dû éprouver les mêmes symptômes, la même tension intérieure. Or, ils avaient sombré tous les deux dans un sommeil de plomb. Il repoussa la couverture, dégrafa les boutons de sa chemise. Le contraste entre la froidure ambiante et sa propre chaleur lui donna l'impression d'être l'enjeu d'un combat obscur et fondamental entre les éléments. Saturé d'énergie, incapable de rester en place, il se leva, sortit de la tente et marcha dans un état second le long du torrent. Les chèvres s'agitèrent et bêlèrent à son approche. Ses pieds nus foulaient un tapis végétal d'une fraîcheur exquise. Il comprit rapidement qu'il n'errait pas au hasard dans la nuit brumeuse, mais que quelque chose, un murmure, une voix intérieure, un appel, le guidait dans une direction précise.

Arrivé devant une cascade, il escalada les rochers en s'aidant des troncs et des branches d'arbustes. Il déboucha sur un large promontoire. L'endroit lui était familier, il en connaissait chaque pierre, chaque plante, chaque recoin. Il aurait probablement éprouvé la même impression d'intimité dans n'importe quel autre endroit du monde. Il emprunta un escalier sommaire creusé dans le flanc abrupt d'un mamelon rocheux. En haut, il discerna les formes sombres et irrégulières d'un temple, des façades et des bas-reliefs noyés de brume. Il se dirigea sans hésiter vers une porte que bouchait partiellement un fronton affaissé. Le hurlement d'un singe lacéra la paix nocturne. Une lueur incertaine caressait un groupe de statues : une femme assise à califourchon sur un homme, empalée sur son phallus aux dimensions imposantes. Une extase pétrifiée. Il contourna un muret éboulé et pénétra dans une petite cour aux pavés descellés et dévorés par la mousse. Il découvrit un cercle dont des bougies allumées délimitaient la circonférence. Au centre, une femme vêtue de ses seuls cheveux dénoués lui tournait le dos. Son corps avait la rondeur lisse et sensuelle des statues environnantes.

Il crut d'abord qu'une sculpture s'était détachée d'un bas-relief, mais la femme, lentement, commença à pivoter sur elle-même.

10

« *Bandh, sir.* »

L'hôtesse de l'Indian Airlines fixa Mike d'un air désolé. Les vols intérieurs étaient suspendus. Des milliers de voyageurs exaspérés couraient d'un comptoir à l'autre de l'aéroport de Santa Cruz. Deux des principaux partis d'opposition, le NICP (nouveau parti communiste indien) et le Janata (parti du peuple) avaient décrété la grève générale – *bandh* – pour une durée illimitée.

L'hôtesse ne savait pas si les liaisons seraient rétablies au cours de la nuit, le lendemain matin ou dans plusieurs jours. La dernière grève générale avait paralysé le pays pendant plus de trois semaines. Il avait fallu que le gouvernement réquisitionne l'armée et ses chars pour briser les piquets les plus résistants. Des émeutes avaient éclaté dans toutes les grandes villes de l'Inde, faisant des milliers de morts et entraînant une forte poussée des extrêmes, gauche et droite, aux élections législatives de 2001.

Mike dut jouer des coudes pour se frayer un chemin jusqu'à Abel, assis sur l'un des innombrables bancs pris d'assaut par les sans-abri qui profitaient de la pagaille pour investir les salles d'attente habituellement inaccessibles. Mike détestait les foules, ces torrents d'humanité qui, gonflés par la stupidité, pouvaient déborder à chaque instant et tout emporter sur leur passage. À plusieurs reprises, l'envie le tarauda de sortir son Beretta et de tirer dans le tas.

« Agoraphobie », avait diagnostiqué le psychologue au museau de fouine devant lequel l'avait traîné sa mère.

Cette peur viscérale de l'hydre à mille têtes l'avait conduit à déserter le lycée et à se glisser très jeune dans l'univers des ombres. Il avait tué son premier homme à l'âge de dix-sept ans, avec un vieux Colt 1911 acheté une poignée de dollars à un junkie en manque. Un boulot qui lui avait rapporté mille dollars, une petite fortune à l'époque, et qui ne lui avait pas occasionné le moindre remords. Dès lors, il avait embrassé la carrière de tueur à gages, s'appliquant à perfectionner le métier, se forgeant une réputation d'artiste qui avait franchi les frontières et lui avait valu d'être sollicité par des commanditaires des cinq continents.

Il avait croisé la route d'Abel Kromsky au cours d'une mission en Europe. Leur association n'avait pas débuté sous les meilleurs auspices, Abel ayant été chargé par un parrain de la mafia sicilienne d'éliminer un certain Mike O'Shea. Ils avaient joué pendant trois jours au chat et à la souris dans les rues de Prague. Mike avait été séduit par la discrétion et la ténacité d'Abel, Abel avait été impressionné par l'intelligence et la virtuosité de Mike. Ils avaient fini par se donner rendez-vous dans une boîte minable de la capitale tchèque. Ils avaient choisi d'unir leurs talents plutôt que de les opposer. Et pour sceller leur accord, ils avaient décidé d'éliminer le mafieux qui avait commandité à Abel l'assassinat de Mike. L'affaire ne leur avait pas rapporté un *cent*, mais leur avait permis de tremper leur collaboration naissante dans le ciment du danger et du sang.

Mike empoigna le bras du mendiant ensommeillé à côté d'Abel et l'éjecta du banc. Les cris de protestation de l'Indien se perdirent dans le brouhaha.

« Grève générale, souffla Mike en s'asseyant. Aucun vol, durée indéterminée… »

Il sortit le micro-ordinateur de sa poche, l'ouvrit et scruta la carte de l'Inde. Le point bleu clignotait entre les villes de Mysore et de Mangalore, dans la région des Ghats occidentaux. Visiblement, l'homme – ou la femme – équipé de la balise satellitaire s'était arrêté sur la route de Mangalore, une ville portuaire où il – elle – pourrait éventuellement prendre un bateau.

Abel rouvrit les yeux et se pencha à son tour sur le petit écran à plasma.

« Allons-y en bagnole. »

Mike eut une moue sceptique.

« Mille bornes, sur des routes en mauvais état… Même en partant maintenant, on n'y serait pas avant demain en fin d'après-midi. Putain de pays : je pensais qu'on ne faisait plus la grève qu'en France ou dans les livres d'histoire. »

Il observa distraitement la marée humaine que traversaient des tourbillons chaotiques et hurlants. Les vagues de protestations s'échouaient sur les comptoirs des compagnies aériennes, éclaboussaient les hôtesses recroquevillées sur leurs chaises.

La perspective de passer la nuit au milieu de ce gigantesque naufrage parut à Mike au-dessus de ses forces. Déjà, il ne se sentait pas dans son état normal. Nerfs en pelote, respiration saccadée, frissons, début de nausée. Des symptômes comparables à ceux de la grippe, la fièvre en moins, la pulsion meurtrière en plus. Une dizaine d'années plus tôt, à Athènes, il avait perdu la tête au milieu d'une foule dont il ne parvenait pas à s'extirper. Bilan : une vingtaine de morts et une chasse à l'homme de quarante-huit heures dans le quartier de Plakka. Il était passé au travers des mailles du filet tendu par la police grecque en sautant dans un bateau de pêche et en obligeant l'équipage à le déposer sur l'île de Chios. De là, il avait pu gagner Izmir et sauter dans un avion à destination de Genève.

Il se leva et défroissa sa veste.

« On loue une voiture. En roulant toute la nuit, on a une chance d'arriver à temps à Mangalore. »

Abel acquiesça d'un sourire. Lui se contentait du rôle d'exécutant, et comme tous les exécutants, il ne vivait que pour s'enfiler des seringues d'adrénaline dans les veines.

11

Fred se réveilla avec une atroce gueule de bois. Chacun des bruits qui transperçaient la toile cognait comme un coup de marteau sur l'enclume de son cerveau. La bosse de son front l'élançait et lui fermait entièrement l'œil gauche. La nuit n'avait été qu'une épouvantable succession de cauchemars. L'infect thé servi la veille dans l'antre du vieil homme lui avait mis la tête et le corps à l'envers. « Boisson revitalisante », avait dit Indrani. Il restait imperméable à l'humour indien.

Il inspecta la tente de l'œil droit. Les nattes de Ramesh et de Mark étaient vides. Il réussit à se camper sur ses jambes, resta un long moment aux prises avec les lois élémentaires de l'équilibre et une nausée tenace, puis il ramassa sa veste et sortit. Ébloui par la lumière du jour, il discerna de vagues formes brunes au milieu du torrent. Dès qu'ils le repérèrent, les enfants jaillirent de l'eau et s'ébrouèrent autour de lui comme de jeunes chiots. Certains n'avaient guère plus de deux ans. Nus, ruisselants, ils paraissaient immunisés contre la fraîcheur saisissante de l'aube, contrairement à Fred, que le contact avec leur peau mouillée couvrait de frissons.

Il subit sans réagir leurs assauts pendant quelques minutes. Puis, quand ils eurent constaté que le monstre au gros front n'était pas d'humeur badine, ils l'abandonnèrent à sa maussaderie et retournèrent s'ébattre dans le torrent. Fred embrassa du regard le campement, les tentes bariolées d'où s'évadaient de maigres entrelacs de fumée, l'enclos des chèvres, les masses grises des deux éléphants qui se confondaient avec les flancs grenus des roches. Agenouillées sur le bord d'une crique, des femmes rinçaient des vêtements ou se frottaient le corps avec des éponges végétales. Plus loin, des hommes accroupis trayaient les bufflonnes, un seau de bois coincé entre les genoux. D'autres nettoyaient leurs fusils ou remplissaient les douilles de poudre, d'autres encore étalaient les nattes et les couvertures sur l'herbe humide. Le soleil naissant dispersait les derniers nids de brume et dénudait les crêtes dentelées des Ghats.

Saisi par la sérénité de l'instant, Fred songea à sa vie, à cette course perpétuelle contre le temps, à ces béquilles technologiques dont il habillait son vide. Il eut une brève crise d'angoisse, quelque chose comme la sensation aiguë et blessante d'être passé à côté de l'essentiel. Regrettant de ne pas avoir une bonne bouteille de whisky à portée de main, il extirpa fébrilement son paquet de cigarettes et son briquet de la poche de sa veste. Une seule cigarette était restée intacte dans la bouillie de tabac et de papier. L'afflux brutal de nicotine ne suffit pas à lui remettre les idées en place.

Il trouva Ramesh plongé dans le moteur du Swaraj-Mazda. Avec ses vitres brisées, ses ailes froissées, ses pare-chocs de guingois, sa tôle criblée d'impacts, le 4 × 4 semblait avoir été recraché par les mâchoires d'un broyeur.

« Vous n'avez pas vu Mark ? »

Ramesh se retourna vers lui, le visage et les mains couverts de cambouis.

« *No*. Pas Indrani non plus. *Do you have a cigarette, mister ?* »

Fred réussit tant bien que mal à reconstituer une deuxième cigarette et la tendit à l'Indien.

« *Thank you.* » L'index de Ramesh se tendit vers le front de Fred. « *Your eye, mister, no good.*

— Le mauvais œil, sûrement. Comme ça, Mark et Indrani sont introuvables ? C'est une manie chez les Sidzik. »

Ils fumèrent en silence pendant quelques instants, adossés au 4 × 4. Une adolescente drapée dans un pan d'étoffe vint leur proposer des galettes de lentilles et du thé. Fred plongea les lèvres dans la tasse d'argile avec circonspection d'abord, avec plaisir ensuite lorsqu'il s'aperçut que ce thé-là n'avait pas un goût de chiottes.

« Et elle, elle ne sait pas où on peut les trouver ? » marmonna-t-il en désignant l'adolescente.

Elle restait immobile à quelques pas du Swaraj-Mazda, les yeux dévorés par la curiosité, le visage enfoui sous le rideau de ses cheveux.

« *I don't speak urdu*, dit Ramesh en haussant les épaules.

— Il faut toujours des cons de service, et on est ceux-là, si je comprends bien. Et merde ! »

L'inquiétude galopante de Fred imprégnait d'amertume les galettes de lentilles. Indrani était un cobra, selon Duane. Il n'accordait pas non plus une confiance aveugle à l'Américain, mais l'attitude équivoque de la jeune femme tendait à confirmer ses propos. Comme à chaque fois qu'un trou s'ouvrait dans la trame de sa tranquillité, Fred commençait d'abord par envisager le pire. L'hypocondrie se manifestait chez lui par l'imagination. Le bug informatique de l'an 2000 lui avait inspiré les pires scénarios, catastrophes aériennes, maritimes et ferroviaires, guerres nucléaires, effondrements boursiers, soulèvements populaires, triomphe des idéologies nauséabondes, avènement des dictatures… Rien de tout cela ne s'était produit, un bricoleur de génie, un ancien pirate informatique, ayant trouvé la parade au changement fatidique des quatre chiffres. Mais, pour un paranoïaque comme Fred, il existait bien d'autres motifs de s'inquiéter. Le 11 septembre 2001 et ses conséquences, par exemple. Le réseau informatique mondial. L'émergence de la Chine et de l'Inde. Les innombrables bévues du gouvernement français. Les troubles dans les Balkans. L'escalade entre la Palestine et Israël. La folie des marchés financiers. La connerie humaine dans son ensemble.

« *The car is broken*, dit Ramesh. Nous, coincés ici.

— La totale, quoi ! »

L'attente se prolongea plusieurs heures sous un soleil de plus en plus chaud. L'adolescente avait probablement été mise à leur disposition puisqu'elle insista pour appliquer une sorte de pommade de terre et d'herbes broyées sur la bosse de Fred et qu'elle les suivit dans chacun de leurs déplacements. Ils explorèrent sans conviction le village de toiles, salués par les sourires des hommes et des femmes qui vaquaient à leurs occupations. Ils remontèrent le torrent jusqu'à une cascade qui dévalait une paroi abrupte sur une hauteur de dix mètres et se fracassait dans une retenue d'eau en soulevant une brume opaque. L'adolescente s'approcha de Fred et entreprit de lui retirer sa veste.

148

« Qu'est-ce qu'elle me veut ?

— *Bath in the river, may be*, fit Ramesh avec une moue amusée.

— Hors de question que j'aille me tremper là-dedans. »

La fille insista, parvint, à force de contorsions, à lui arracher sa veste, lui retroussa sa tunique et tenta de la faire passer par-dessus sa tête. Il résista, mais elle esquiva en riant ses gesticulations et revint à la charge. Agacé, aveuglé par le tissu, Fred buta sur une pierre, battit l'air de ses bras, perdit l'équilibre et bascula dans le torrent. La température glaciale de l'eau lui coupa la respiration. Il avait pied, heureusement – l'élément liquide ne l'inspirait que dans un verre avec une bonne dose de whisky et quelques glaçons. Il réussit à ramener un minimum d'ordre dans ses membres et dans ses pensées, résista à la force du courant et maintint tant bien que mal sa tête au-dessus des remous. Il entendit alors un éclat de rire, ouvrit la bouche, eut besoin d'une vingtaine de secondes avant de pouvoir cracher sa fureur.

« Espèce de petite…

— Ne la grondez pas. »

Il reconnut cette voix. Indrani et Mark se tenaient sur la rive du cours d'eau. Comme l'adolescente, la jeune femme n'était vêtue que d'une pièce d'étoffe nouée sur sa poitrine. Ses cheveux tombaient en ruisseaux noirs sur ses épaules nues et ses hanches. Il eut la brève sensation de contempler une déesse du panthéon hindou. Puis, se souvenant qu'il ne croyait pas aux dieux et qu'il était plongé dans une eau qui le mordait jusqu'aux os, il remonta sur le bord avec la grâce d'un hippopotame.

« Cette fille est tout simplement cinglée ! fulmina-t-il en rajustant son lenga détrempé.

— Elle voulait vous offrir un présent avant notre départ, dit Indrani avec un sourire. Pour elle, ce torrent est sacré. Elle croit que son eau vous protégera et vous apportera ses bienfaits.

— Une crève carabinée, oui ! Peut-être même une pneumonie ! La prochaine fois qu'elle veut m'offrir un cadeau, qu'elle s'informe d'abord de mes goûts, bordel de putain de merde ! »

L'adolescente s'approcha de Fred et lui posa la main sur le front. Malgré sa colère, il n'eut ni le réflexe ni l'envie de la repousser. Elle le contempla avec une tendresse quasi maternelle, se recula, se dévêtit et plongea dans le torrent.

Fred passa machinalement la main sur sa bosse et se rendit compte qu'elle avait diminué de moitié. Il s'aperçut également qu'il ne tremblait plus, qu'une fraîcheur agréable se diffusait de ses vêtements détrempés, que ce bain forcé avait chassé sa nausée et sa fatigue. Perplexe, il suivit pendant quelques instants les évolutions de l'adolescente dans l'eau transparente. Puis, se tournant vers Mark, il redevint instantanément l'ours Cailloux.

« Où étiez-vous passés ? Ramesh et moi, on se faisait un sang d'encre. Je vous signale que le 4 × 4 est naze et qu'il faut trouver un autre moyen de sortir de ce trou ! »

Il retira sa tunique et l'essora. La blancheur de sa peau parut fasciner Ramesh. À moins que ce ne fût son ventre généreux de Bouddha.

« Cette nana te tient par les couilles ! »

150

Fred et Mark marchaient une dizaine de mètres derrière Indrani et Ramesh. L'adolescente les avait suivis un moment en se laissant porter par les remous. Puis, après leur avoir adressé un ultime salut, elle avait fait demi-tour et entrepris de remonter le courant. Fred avait passé directement sa veste sur son torse nu. Il chercha une cigarette dans sa poche, n'en trouva pas d'intacte, écrasa son paquet d'un geste rageur.

« Une partie de jambes en l'air, rien de tel pour endormir la méfiance et fausser le jugement ! »

Mark lui lança un regard de biais. Impossible de trouver les mots justes pour décrire ce qui s'était passé entre Indrani et lui dans la cour intérieure du temple en ruine. Il n'avait jamais expérimenté une relation aussi totale avec une femme. Était-ce le thé qu'il avait bu dans la tente du vieil homme, était-ce l'extraordinaire sensualité d'Indrani ? Il avait goûté chacune de leurs caresses, chacune de leurs morsures avec une intensité inouïe. Oublié l'angoisse sourde qui le tenaillait. Renoncé à son identité d'homme. Il avait disparu en elle, elle avait disparu en lui. Reliés par leurs sexes, ils avaient engendré une entité asexuée, fondue dans un creuset de volupté. Comment parler à Fred du sentiment d'éternité qui les avait alors unis ? Les parties de jambes en l'air, selon l'expression du réducteur Cailloux, se résumaient trop souvent à des moments de plaisir volés dans le sanctuaire intime de l'autre. Indrani et lui avaient tutoyé les cieux sans jamais sombrer dans l'abîme.

Elle s'était dérobée à chaque fois qu'il avait été sur le point de céder à la tyrannie de l'orgasme, à ce conditionnement génétique et millénaire qui pousse les mâles, hommes et animaux, à marquer de leur sceau le territoire de leurs conquêtes. Il n'avait pourtant éprouvé aucune frustration après qu'elle s'était échappée de ses bras pour aller se jucher avec l'adresse d'un singe sur le faîte d'une façade. Une énergie brûlante était montée de son sexe, aussi dur que les lingams des statues. Il l'avait rejointe en haut du temple et avait admiré près d'elle le spectacle radieux du soleil levant. Les Ghats occidentaux se dépouillant de leurs mystères de ténèbres et de brume. La mer d'Oman se dévoilant à l'horizon dans une floraison de teintes bleues, mauves et roses.

Indrani lui avait alors confié d'une voix douce qu'elle était une *devanasi*, une « putain sacrée ». Une femme éduquée pour apprendre aux hommes à maîtriser et transformer leur sexualité. Dans les temps anciens, avait-elle expliqué, les *devanasi* jouissaient du même prestige et du même respect que les brahmanes. Gardiennes secrètes et mythiques de cette discipline qu'on appelle le Tantra, elles avaient disparu progressivement sous l'influence des prêtres jaloux de leurs prérogatives.

« Un être qui dirige à sa guise la *Kundalini*, le serpent d'énergie, parle à l'univers. Il n'a plus besoin de l'intercession des brahmanes. »

La tradition s'était perpétuée dans certaines régions de l'Inde jusqu'à l'arrivée des Anglais, lesquels n'avaient vu dans les *devanasi* que de vulgaires prostituées et avaient interdit ces pratiques incompatibles avec le puritanisme victorien.

« À Varanasi, dans l'ashram de Ma Sudri, j'ai appris à me servir de mon corps comme d'un instrument de musique. J'ai exercé pendant trois ans dans un temple clandestin. Puis, les services secrets m'ont demandé de les aider à combattre le Dalit. Si j'avais refusé, ils auraient traduit Ma Sudri en justice pour proxénétisme. Je ne voulais pas qu'un enseignement millénaire soit perdu par ma faute. Je n'étais pas la maîtresse de Jean Hébert au sens où vous, les Français, entendez ce mot. Il était vieux, fatigué. J'étais chargée de ranimer et d'entretenir sa flamme.

— Dans quel but ? »

Elle le détailla de la tête aux pieds avec un sourire sensuel. Le désir revint le fouetter avec une telle force qu'il chancela et dut agripper une corniche de pierre pour rester en équilibre sur le faîte du mur.

« J'aimerais avoir plus souvent des disciples comme toi, Mark », murmura-t-elle avant de l'embrasser avec une douceur infinie.

Ils avaient dévalé le mur et s'étaient rhabillés dans la lumière chagrine du jour.

« Te crois surtout pas obligé de me répondre, Mark Sidzik ! » grogna Fred.

Effectivement, il valait mieux ne pas ternir par la parole le souvenir précieux qu'il gardait de cette nuit.

Ils rattrapèrent Indrani et Ramesh, soudain immobiles. Les vitres d'une Range Rover blanche scintillaient entre les tentes. Des éclats de voix se mêlaient aux cris des chèvres et des buffles éparpillés. Les deux éléphants ingurgitaient placidement les herbes et les branches rassemblées en tas à portée de leurs trompes. Les enfants continuaient de jouer comme si de rien n'était, mais les hommes et les femmes s'interrompaient de temps à autre dans leur activité pour jeter des coups d'œil inquiets vers la tente centrale du campement.

« Des mecs du Dalit ? s'inquiéta Fred.

— *I don't think so* », dit Ramesh.

Une jeune femme courut dans leur direction et s'entretint avec Indrani.

« Elle dit que deux hommes se sont enfermés avec le père de la tribu.

— Des Occidentaux ?

— Elle a utilisé un mot qui signifie à la fois étranger et démon. »

La jeune femme ajouta quelques mots en faisant tinter les bracelets métalliques de ses bras et de ses poignets.

« Elle dit que vous devriez aller leur parler. Vous êtes du même peuple, ils vous écouteront peut-être.

— Moi, je crois qu'on devrait plutôt foutre le camp, murmura Fred. On ne gagne que des emmerdements à se mêler des affaires des autres.

— C'est pas toi qui cherchais un nouveau moyen de sortir de ce trou ? » lança Mark.

Une chaleur moite transformait la tente en sauna. Recroquevillé sur sa natte, le vieil homme conversait avec les deux visiteurs assis en tailleur en face de lui. L'un, la quarantaine, était blond et large d'épaules ; l'autre, brun et maigre, paraissait plus jeune en dépit d'une calvitie avancée. Ils portaient tous les deux des chemisettes beiges et constellées d'auréoles. Le premier triturait nerveusement son chapeau tandis que le second tirait avec agacement sur une cigarette. Ils gratifièrent les nouveaux arrivants de regards à la fois intrigués et courroucés.

« Je donnerais n'importe quoi pour une clope ! » s'exclama Fred.

Les traits des deux visiteurs se recouvrirent instantanément d'un vernis d'amabilité.

« Français ? fit le blond en tendant son paquet de cigarettes.

— Ça s'entend, non ?

— C'est à vous, le Swaraj-Mazda ? demanda le brun. Qu'est-ce que vous fabriquez dans le coin ?

— Du tourisme, répondit Mark. Et vous ?

— Boulot. Nous sommes des chercheurs…

— Ethnologues ? demanda Fred, intéressé.

— Biologistes. »

Mark promena sur les deux hommes un regard à la fois aigu et sarcastique.

« On peut savoir ce que vous cherchez ?

— Rien que du banal. Des… plantes.

— Ah bon ? » feignit de s'étonner Fred. Il désigna le vieux chef d'un coup du menton. « Et vous avez besoin de monsieur pour les trouver ? »

Le biologiste brun éluda la question d'un geste évasif.

« Lui… ou d'autres. Les tribus ont une connaissance étonnante des végétaux et de leurs propriétés. Notre boulot, c'est justement d'aller à leur rencontre et d'exploiter leurs connaissances pour recenser les plantes et créer de nouveaux médicaments. »

Fred s'assit sur une natte entre les deux visiteurs et alluma sa cigarette.

« Noble tâche ! fit-il en recrachant un long panache de fumée. Vous êtes ce qu'on appelle des prospecteurs génétiques. »

La surprise et la méfiance assombrirent tout à coup les yeux du brun.

« On peut dire ça comme ça, admit-il d'un ton sec.

— Le seul problème, c'est qu'il n'y a plus grand-chose à prospecter, intervint son compagnon. Les Américains ont pratiquement tout raflé. C'était à prévoir :

les Européens ont trop tergiversé avant de s'aligner sur la législation des États-Unis. Il ne nous reste plus que des miettes. Et encore. Regardez le vieux : pas moyen de lui arracher un traître mot !

— Essayez la torture », suggéra Fred.

Les traits hâves du brun se crispèrent.

« Le cancer, l'asthme, le diabète et la plupart des grandes maladies de ce début de millénaire épargnent les membres de cette tribu. Sa pharmacopée traditionnelle nous intéresse, quoi de plus normal ? De quel droit lui et les siens garderaient pour eux des remèdes qui pourraient soulager des millions de leurs contemporains ?

— Admettons, dit Mark avec un geste d'apaisement. Juste une question : quels bénéfices reviendront à cette tribu dont vous aurez… emprunté les connaissances ? »

Un silence tendu descendit sur la tente. Les petits yeux du vieil homme luisaient dans l'entrelacs de ses rides comme des braises sous un tas de sarments. Bien que ne comprenant pas un mot de français, il semblait suivre la conversation avec le plus grand intérêt.

« Tout ça ressemble foutrement à du pillage, reprit Fred.

— Je préfère parler d'un inventaire systématique des richesses biologiques de la terre, corrigea le brun. C'est l'humanité tout entière qui bénéficiera des avancées de la génétique.

— Épargnez-nous votre pseudo-morale, renchérit le plus âgé des prospecteurs. Le vivant est universel.

— Des mots ! La vérité, c'est que vous vous comportez exactement comme les colonisateurs des siècles derniers !

« — Fred n'a pas tort, intervint Mark. Vos boîtes de génétique vont faire des profits colossaux avec le savoir de cette tribu, ou d'une autre. Et quand l'Inde et les autres pays du Sud auront rattrapé leur retard technologique, les brevets les plus intéressants auront été déposés par les étrangers. Vous avez peut-être la loi pour vous, mais, grâce à des gens comme vous, le patrimoine génétique de la planète deviendra la propriété exclusive d'une poignée de multinationales occidentales. »

Le biologiste blond lui jeta un regard ironique et teinté de commisération.

« Malheureusement pour vous, les hommes ont institué la notion de propriété. Après tout, les actes de propriété ne sont que des bouts de papier sans valeur intrinsèque. Au nom de quoi un particulier ou un pays a-t-il le droit de se dire propriétaire d'une étendue de terre ? En déposant des brevets sur le vivant au moins, on n'interdit pas aux autres de bénéficier des avancées biotechnologiques.

— Ouais, à condition de payer ! » maugréa Fred.

Mark observa les deux hommes. Tenue de baroudeur, teint hâlé, cynisme de mercenaires. Ils avaient depuis longtemps renié l'éthique scientifique pour s'enrichir avec ces pépites du XXIe siècle qu'on appelait les gènes.

« Pas la peine de s'énerver », reprit le brun avec un demi-sourire.

Son regard glissa jusqu'à la tenture de l'entrée où Indrani, immobile, les observait avec une expression indéchiffrable.

« L'Indienne, c'est votre guide ? Belle plante…

— Le vieux nous a dit que votre 4 × 4 était en rade, ajouta le blond. Nous repartons vers Mangalore. On peut vous déposer, si vous voulez. »

Le paysage se modifiait au fur et à mesure que la Range Rover dévalait le flanc occidental des Ghats. Une végétation luxuriante supplantait à présent les forêts de résineux. Des ruisseaux étiraient leurs rubans étincelants sur le vert des collines. Au loin, les bandes minces et dorées des plages soulignaient le lapis-lazuli de la mer d'Oman striée par les crêtes des vagues. Une odeur d'iode de plus en plus prononcée se diffusait dans l'air tiède, masquant les parfums de fleurs et les relents de gasoil. La route, défoncée par endroits mais assez large pour tolérer la circulation dans les deux sens, traversait des petites villes entièrement construites en latérite et en tuiles.

Fred avait retiré sa veste et enfilé sa tunique séchée par les courants d'air. Le tissu de son lenga se collait à ses jambes et le cuir encore humide de ses chaussures – des Timberland, merde ! – lui irritait les pieds. Bien qu'il sentît par moments une brûlure insistante sur sa joue, Mark évitait de croiser le regard d'Indrani, assise à son côté, vêtue à nouveau de son choli et de son sari verts. Son désir pour elle continuait de le hanter, accentué par les cahots du véhicule et les frôlements incessants de leurs jambes.

Les deux biologistes gardaient le silence malgré les provocations de Fred. Le blond conduisait, le brun, les pieds posés sur le tableau de bord, fumait cigarette sur cigarette.

Ils arrivèrent bientôt en vue de Mangalore. Perchée sur une colline accidentée, la ville se hérissait de quelques gratte-ciel qui n'offraient pas un contraste très heureux avec les bungalows rougeâtres des quartiers traditionnels. Les panaches cotonneux de deux énormes centrales électriques se jetaient dans les nuages qui paressaient dans le ciel d'un bleu délavé. De grands bateaux noirs se pressaient le long des quais du port comme des buffles devant leur mangeoire. Ramesh attira l'attention de Fred sur l'avion qui décollait de la piste de l'aéroport de Bajpe, trait de bitume perché sur les hauteurs et cerné par les bouches des précipices.

Bien avant de pénétrer dans Mangalore, Mark sut que la mort se terrait quelque part dans la langueur tropicale qui étouffait la ville.

12

Les temples hindous, les rickshaws et les petits vendeurs ambulants ne suffisent pas à faire de Mangalore une ville indienne. Comme si l'influence catholique, mesurable aux églises et chapelles qui abondent dans ses rues en pente, avait rogné ses racines.

Dominée par l'artillerie du sultan, une batterie de canons installée par Tipu Sultan, elle se déployait avec une nonchalance typique des régions tropicales – constructions aux couleurs passées, places écrasées de soleil, petits marchés, palmiers indolents et massifs fleuris aux teintes acidulées. Cependant, comme un écho à son propre malaise, Mark perçut d'emblée le frémissement inquiet qui parcourait l'atmosphère amollie par la brise marine. Une sensation diffuse, peut-être due à l'allure furtive des passants, à la présence massive des policiers qui ne se justifiait pas dans une agglomération d'un demi-million d'habitants, aux norias d'ambulances et de camions bâchés qui fonçaient dans les rues, aux bourdonnements des hélicoptères qui rasaient les toits des gratte-ciel.

« On vous dépose où ? demanda le biologiste brun.

— Au vieux port, répondit Indrani.

— Ah, vous parlez français… »

Il évita son regard, se souvenant tout à coup qu'il l'avait traitée de belle plante dans la tente du chef de la tribu.

Fred les pria de s'arrêter devant une boutique qui vendait, entre autres, du tabac. Il acheta une cartouche entière de cigarettes d'une marque indienne pour la simple raison que le jaune doré de l'emballage lui plaisait et en alluma une avant de remonter dans la Range Rover. La saveur indéfinissable des blondes locales lui coupa l'appétit : ça tombait bien, il mourait de faim et les autres ne semblaient pas pressés de manger.

Ils abandonnèrent l'église Saint-Paul sur leur droite et s'engagèrent dans Old Port Road. Trois cents mètres plus loin, un barrage de soldats casqués et armés de fusils d'assaut leur interdit l'accès au vieux port. Indrani ouvrit la vitre pour leur demander ce qui se passait. L'officier ventripotent et mal embouché les pria sèchement de dégager. Ils s'extirpèrent avec les pires difficultés de l'embouteillage qui s'était formé dans les rues adjacentes, régulièrement transpercées par les sirènes hurlantes des ambulances. Fred crevait de chaud, au point de regretter son bain matinal dans le torrent.

Le biologiste parvint à se garer devant une épicerie dans une ruelle pentue et empuantie par les hydrocarbures. Le commerçant jaillit aussitôt de la boutique comme un diable de sa boîte et l'invita, mimiques à l'appui, à libérer immédiatement la place. Le conducteur coupa le moteur et descendit sans tenir compte des vociférations de son interlocuteur. Son acolyte et Ramesh le rejoignirent sur le trottoir.

« Ce con va ameuter toute la ville ! soupira Fred.

« — C'est un Mopla, dit Indrani en rassemblant ses cheveux. Ramesh ne peut pas le comprendre : il parle un mélange de toulou et de konkani.

— Pas besoin de parler toulou ou kon… que ce soit pour comprendre ce qu'il veut !

— Il prétend que cette place est réservée aux livraisons. »

Elle finit de natter ses cheveux, sortit un porte-monnaie de son choli et descendit à son tour. Un attroupement s'était formé autour de l'épicier, des deux biologistes et de Ramesh. Les invectives pleuvaient dru, on serrait les dents et les poings. L'intervention d'Indrani ramena le calme. Elle palabra à voix basse avec le commerçant et s'engouffra en sa compagnie dans la pénombre de la boutique. Lorsqu'ils réapparurent, quelques minutes plus tard, toute trace de rogne avait déserté la face ronde du commerçant, et la meute se dispersa comme par enchantement.

« Sacrée nana, murmura Fred en allumant une autre de ces blondes écœurantes dont il allait devoir se farcir une cartouche entière. Dommage qu'elle ait vendu son âme aux ultranationalistes hindous.

— Je n'en suis pas si sûr que toi, rétorqua Mark, la main posée sur la poignée de la portière.

— C'est bien ce que je disais : elle te tient par les…

— Évite ce genre de réflexion, tu veux ? »

Le ton cassant de Mark ne dissuada pas Cailloux de revenir à la charge.

« La chair est faible. Elle te l'a joué classique, Sidzik. Elle nous entortille depuis le début. »

Mark lâcha la poignée et agrippa Fred par le col de sa tunique.

« Tu devrais apprendre à boucler ta grande gueule de temps en temps, Fred Cailloux !

Les deux hommes se défièrent en silence pendant quelques secondes. Puis les doigts de Mark cessèrent de malmener le tissu de la tunique, et son regard revint s'échouer sur Indrani, en grande discussion avec le commerçant.

« Quel intérêt aurait-elle à nous mener en bateau ?

— Je n'ai pas de réponse à cette question, marmonna Fred en se massant le cou. Je sais seulement qu'elle ne s'appelle pas Indrani et qu'elle se démène pour livrer aux fanatiques hindous le secret d'une apocalypse génétique…

— Passe-moi ton portable. »

Mark composa le numéro de Salinger mais, comme la veille à Mysore, une voix masculine lui annonça, dans un anglais teinté d'accent africain, que la communication ne pouvait aboutir pour l'instant.

« La communication planétaire, hein ? fulmina-t-il en rendant son téléphone à Fred.

— Y a encore un peu de boulot avant que tout ça soit au point. Et maintenant ? »

Mark haussa les épaules, ouvrit la portière et descendit. Le vent tiède et saturé de sel ne réussit pas à dissiper l'angoisse qui lui obscurcissait l'esprit et abandonnait une écume d'amertume dans sa gorge. La rue se peuplait d'ombres noires et froides : les passants, les deux biologistes, adossés à l'aile de la Range Rover, Ramesh, accroupi sur la chaussée pour uriner, à la mode indienne…

Indrani salua l'épicier et se dirigea vers Mark.

« Il y a eu une attaque du Dalit cette nuit, dit-elle à voix basse. Selon le commerçant, ils étaient plus de cinquante. Ils se sont introduits dans certaines maisons du vieux port. Quelqu'un a prévenu la police.

Une fusillade a éclaté. Les morts se comptent par dizaines. »

Figée devant l'étalage de fruits et de légumes, les yeux baissés, elle avait prononcé cette succession de phrases d'une voix neutre, comme elle aurait dressé un constat. Des mères avaient pourtant perdu leurs enfants cette nuit, des femmes leurs maris, des frères leurs sœurs, des cordons intimes avaient été tranchés.

« Je suppose que cette attaque a un rapport avec Venkatesh, avec le DVD de Jean Hébert, avança Mark.

— Le périmètre est bouclé. Nous n'aurons pas la possibilité de vérifier aujourd'hui. Demain peut-être. À moins que Venkatesh ne nous ait contactés avant. »

La sirène grave d'un bateau fendit la rumeur de la ville. Toujours accroupi, Ramesh les épiait du coin de l'œil.

« Appelle-le maintenant.

— Impossible. Nous n'avons pas d'autre choix que d'attendre son coup de fil.

— Il existe un autre choix : se rendre au commissariat le plus proche et demander l'aide des flics. »

Les traits d'Indrani demeurèrent impassibles, mais son corps se tendit.

« Laisse la police du Karnataka en dehors de ça. Elle n'a rien à faire dans la partie qui se joue en ce moment.

— En ce cas, montre-moi les règles du jeu. Je ne suis pas un pion sur un échiquier.

— Je me serais donc trompée sur ton compte ? »

Il se demanda soudain ce qui avait bien pu le pousser à se jeter dans ses bras la nuit précédente.

« C'est vrai que tu t'y entends en matière de tromperie… Uttara. »

Elle tressaillit. Ses yeux s'assombrirent dans la pâleur subite de son visage. Elle lança un regard désemparé en direction de Ramesh, se ressaisit avec une rapidité qui révélait une force de caractère peu commune sous ses apparences fragiles.

« Qui t'a donné ce nom ? fit-elle d'un ton âpre.

— À mon tour de garder mes petits secrets.

— Un vieux proverbe du Rajasthan dit qu'il ne faut pas changer de chameau au milieu du désert. Si tu ne me fais pas confiance jusqu'au bout, Mark, tu le regretteras.

— C'est une menace ? »

Elle rajusta d'un geste nerveux le pallav de son sari.

« En Inde, nombreux sont les ignorants qui se sont définitivement perdus dans le labyrinthe des illusions. »

Ils déjeunèrent sur la terrasse du restaurant du Taj Mandarum Hotel. Le serveur leur avait proposé, pour accompagner les fruits de mer, un vin blanc un peu trop doux mais tout à fait acceptable. Les deux biologistes avaient insisté pour les inviter au Mangala, le restaurant chic de la ville, mais Indrani avait décliné leur offre, prétextant une affaire urgente à régler. Mark et Fred s'étaient alignés sur la position de la jeune femme, avec d'autant plus d'empressement qu'ils n'appréciaient pas la compagnie de leurs compatriotes.

L'après-midi s'étiola dans la chaleur douce de la côte d'Oman. Le ballet des hélicoptères s'était interrompu, les ululements des ambulances s'étaient tus, un calme relatif était redescendu sur la ville. Indrani s'absenta pendant une demi-heure. À son retour, elle leur annonça que la réception de l'hôtel acceptait de mettre une salle de bains à leur disposition. Fred fonça aussitôt se raser et se laver.

Aux alentours de seize heures, alors que le disque cuivré du soleil commençait à sombrer dans la mer d'Oman, Mark réussit enfin à joindre Salinger. Bien que lointaine et hachée par les micro-coupures, la voix du professeur lui fit l'effet d'un baume. Il se leva, s'éloigna de la table, s'assit sur le rebord du muret qui entourait la terrasse. Le vacarme de la rue le contraignit à coller l'appareil sur son oreille gauche et à se boucher avec la main l'oreille droite. Il ne quitta pas des yeux les silhouettes d'Indrani, de Fred et de Ramesh figées au milieu des tables dans la lumière du couchant.

« Mark ?

— Désolé de vous déranger, professeur.

— Je n'ai pas beaucoup de temps. Un entretien avec le ministre ivoirien de la Santé dans une dizaine de minutes.

— Juste une question : connaissez-vous un Américain prénommé Duane ? »

En dépit de la distance et de la mauvaise qualité de la communication, la petite hésitation de Salinger n'échappa pas à Mark.

« Duane Shorty. Salarié par l'OMS. Il effectue des missions ponctuelles pour le compte d'organismes moins officiels.

— Vous a-t-il contacté récemment pour vous signaler ma présence en Inde ?

— Pas personnellement. Mais il s'est peut-être adressé à mon secrétariat de New York.

— Vous ne me demandez pas ce que je fabrique en Inde ? »

Nouveau temps de silence, colonisé par les parasites. Mark croisa le regard intrigué d'Indrani. Une pointe de désir l'aiguillonna. Il ne lui serait pas facile de se désintoxiquer d'elle.

« Avez-vous entière confiance en Duane ? insista-t-il.

— On ne ferait pas appel à ses services s'il n'était pas digne de confiance. Mais on peut toujours se tromper.

— Saviez-vous que Jean Hébert avait bricolé un virus mutant pour le compte d'un mouvement terroriste nommé le Dalit ?

— Un homme de sa qualité avait certainement une raison valable pour se prêter à ce genre de…

— Qu'est-ce que vous appelez une raison valable ?

— Excusez-moi, le secrétaire du ministre vient d'entrer dans le hall. Nous reparlerons de tout ça lors de notre prochaine rencontre. Faites attention à vous, Mark. »

La communication s'interrompit. Mark resta pendant quelques minutes assis sur le muret, perdu dans ses pensées. Comme toujours avec Salinger, il fallait lire entre les mots, décrypter les non-dits. Le professeur redoutait les écoutes téléphoniques comme la peste, plus encore maintenant que le Net et les satellites espions couvraient la planète entière. Il utilisait un langage à tiroirs dont seuls ses collaborateurs détenaient les clefs. De leur brève conversation ressortaient deux informations : *primo*, Salinger n'était pas étranger à la présence de Mark en Inde ; *secundo*, si Duane était effectivement un membre occasionnel du W.E.R., l'Américain avait menti en affirmant avoir contacté directement le professeur par l'intermédiaire du Net.

Mark suivit d'un œil distrait la progression caho-
tante d'une charrette chargée de fruits et pressée par
une cohorte de véhicules pétaradants. Les vélos et les
scooters se faufilaient sur les trottoirs, slalomaient
entre les piétons. Le crépuscule teintait d'or et de cuivre les façades des immeubles. La communication
avec Salinger n'avait pas débrouillé l'écheveau. Il étira
ses muscles engourdis avant de retourner s'asseoir
avec les autres.

« Les nouvelles sont bonnes ? » s'enquit Fred.

Mark but une gorgée de chai tiède, ignorant le
regard brûlant d'Indrani.

« Pas grand-chose de nouveau sous le soleil
d'Afrique. »

Ramesh désigna une venelle tortueuse.

« *Here.* »

Des relents de poudre flottaient dans l'omnipré-
sente odeur de marée remuée par la brise. Les
bateaux étaient rentrés au port. Les lueurs glauques
des réverbères se réfléchissaient sur les écailles argen-
tées des poissons étalés sur les bâches. Des discus-
sions animées opposaient les mareyeurs et les
pêcheurs bruns et secs aux lungi retroussés sur les
cuisses.

La nuit était tombée, brutale, fuligineuse. Les néons
des boutiques, des restaurants et des débits de boisson
éclairaient les façades hautaines du vieux port. À
l'extrémité de la jetée de pierre, un phare accrochait
ses éclats de lumière à l'écume des vagues.

La nervosité gagna Fred lorsqu'il s'engagea à la suite
des autres dans la ruelle. Une demi-heure plus tôt,
Indrani, qui était allée aux renseignements, avait
annoncé que la zone du vieux port était de nouveau

ouverte à la circulation. Ils avaient décidé de se rendre immédiatement à la maison où Venkatesh était censé les attendre.

« Vous connaissez les occupants de cette maison ? s'étonna Fred.

— Sri Prajapati était un ami de mon père.

— Vous auriez pu lui téléphoner au lieu de nous faire poireauter tout l'après-midi dans ce restau !

— J'ai appelé à trois reprises. Personne n'a répondu. »

Ils remontèrent la venelle plongée dans un silence qu'égratignait la rumeur du port. Les impacts des balles sur les murs gris, sur les portes des immeubles et sur les volets témoignaient de la violence de la bataille qui avait opposé les Intouchables aux forces de l'ordre. Des formes grossières de corps avaient été tracées à la craie sur les pavés inégaux tachés de sang et parsemés d'éclats de verre. Une haleine tiède de poudre, de putréfaction et de déjection s'exhalait des bouches d'égout et des vitres fracassées. L'ombre des mauvais jours pesait de tout son poids sur Mark. Il lui semblait fendre un air plus épais que de la boue.

Des formes s'agitèrent dans l'obscurité. Ramesh ralentit, se rencogna contre un mur, fit signe aux autres de l'imiter, glissa la main dans les plis de son lungi. Une dizaine de silhouettes s'avançaient dans leur direction. Le cœur affolé, Fred regretta de ne pas avoir pris le temps de vider sa vessie avant de quitter le restaurant. Le cliquetis du cran de sûreté du pistolet de Ramesh résonna avec la puissance d'un coup de gong.

Les ombres surgirent des ténèbres et s'arrêtèrent à quelques mètres d'eux. Fred poussa un soupir de soulagement. Des mendiants, des spectres ossus dont certains, entièrement ou partiellement nus, semblaient sortir tout droit d'un camp de concentration. Les seins des femmes battaient comme des outres sèches leurs flancs squelettiques. La tête penchée sur le côté, elles tendaient la main en psalmodiant de mornes suppliques. Ceux-là n'avaient vraiment rien, ni toit au-dessus de leur tête, ni table où s'asseoir, ni lit où dormir, ni vêtements pour dissimuler les crevasses de leur peau. Impossible de leur donner un âge. Leur dénuement était si total qu'il en paraissait abstrait.

« Les Droits de l'homme, les beaux discours sur la mémoire, l'ONU, ça sert à quoi tout ça, bon Dieu ? » grommela Fred.

Un homme nu pissa devant eux sans se détourner en émettant un petit gloussement d'aise. L'odeur âpre de son urine s'évanouit dans la moiteur de la nuit.

« Donne-leur de l'argent, fit Mark.

— Pas de problème. Mais ça m'étonnerait qu'on les laisse entrer dans une boutique.

— Ils sont mieux organisés que vous ne croyez, intervint Indrani en extirpant des billets de son porte-monnaie.

— Ça crève les yeux ! siffla Fred. On leur a déjà fourni les uniformes.

— Perdez donc cette détestable manie de juger ce que vous ne connaissez pas.

— Dès que vous aurez perdu cette détestable habitude de nous prendre pour ce que nous ne sommes pas ! »

Fred distribua une centaine de roupies aux mendiants. Une femme édentée lui saisit la main et la baisa avec une ferveur qui le mit mal à l'aise.

La famille de Sri Prajapati occupait les trois étages d'une maison de style victorien coincée entre deux immeubles. Les scellés apposés sur le portail du jardin et les innombrables impacts sur les murs blanchis à la chaux signalaient qu'elle avait été la cible principale de l'assaut des Intouchables.

« Reste plus qu'à lever le camp », soupira Fred.

Indrani leva un regard obstiné sur la façade de la maison.

« Venkatesh n'a pas téléphoné. Je dois absolument savoir s'il est passé ici.

— Les flics ont scellé la porte de cette baraque ! objecta Fred. Traduction : il ne reste plus un être vivant entre ces murs. »

Des ombres se découpèrent dans les fenêtres éclairées des bâtiments proches.

« Venkatesh a peut-être laissé un indice de son passage, insista Indrani.

— Je suis d'accord avec elle, dit Mark. Puisque nous y sommes, autant en avoir le cœur net.

— Tu sais ce qu'on risque, si les flics nous surprennent ?

— Raison de plus pour ne pas gueuler comme un putois. »

Ramesh examina les immeubles voisins pour s'assurer que personne ne les observait, déchira les bandes des scellés et arracha le cachet de cire avant de pousser le portail. Le grincement des charnières domina la rumeur sourde de la ville. Ils traversèrent le jardinet et gravirent la volée de marches du perron. Les flics n'avaient pas fermé à clef la porte d'entrée, estimant sans doute que les scellés suffiraient à éloigner les curieux et les rôdeurs. Ils s'introduisirent dans la réception éclairée par les rayons ténus tombant d'un vitrail. Des dizaines d'instruments de musique, vina, violons, tampura, cymbales, tambourins, harpes juives, gisaient, éventrés, sur les tapis et le carrelage. L'odeur d'humus qui montait d'une jarre renversée ne masquait pas celle, plus sourde, du sang.

« Ils sont musiciens ? demanda Fred.

— Sri Prajapati est l'un des plus grands spécialistes de la musique carnatique », chuchota Indrani.

Ils fouillèrent le salon, la salle à manger, la cuisine. Partout le même spectacle de désolation. Les flics avaient enlevé une dizaine de cadavres à en croire les contours à la craie.

« On ferait mieux de déguerpir, maugréa Fred, les nerfs à vif. Comment voulez-vous dégotter un indice dans ce foutoir ? »

Un craquement retentit au-dessus de leurs têtes. Ramesh déverrouilla le cran de sûreté de son pistolet et, d'un geste du bras, leur ordonna de se taire. À nouveau, la peur, cette compagne encombrante, vint se loger dans les entrailles de Fred Cailloux. Quelqu'un marchait là-haut. On pouvait suivre ses déplacements au grincement étouffé de ses pas. Mark ramassa une tringle à rideau et, suivi de Ramesh, se posta en bas de l'escalier placé sur le côté droit de la réception. Les bruits s'interrompirent, puis reprirent, plus saccadés, comme une manifestation subite d'affolement. Du canon de son pistolet, Ramesh signala aux autres son intention de monter. Mark lui emboîta le pas. Ils gravirent les premières marches, veillant à poser les pieds sur l'épais chemin rivé au bois par des barres de laiton. Ils atteignirent sans encombre le palier du premier étage plongé dans une nuit opaque. Les craquements provenaient d'une pièce située sur leur gauche.

Il y eut le léger crissement d'une poignée pivotant sur son axe, le grincement d'une porte qui s'entre-bâillait.

Ramesh se plaqua contre la cloison, le pistolet braqué sur le fond du palier. Une forme grise se découpa sur le fond de ténèbres.

L'index de Ramesh se crispa sur la détente.

« Ne tire pas ! hurla Mark. *Don't shoot !* »

13

Duane attendit que Janet s'enferme dans la salle de bains pour consulter l'écran plasma de son pockuter, la nouvelle gamme d'ordinateurs portables qui, comme leur nom l'indiquait, tenaient dans une poche. Il commanda plusieurs agrandissements successifs de la carte de Mangalore.

Le point bleu clignotait dans une rue du quartier du vieux port. À l'aube, la balise avait cessé d'émettre. Il avait perdu tout contact avec le groupe d'Uttara Poodhyay. Il avait passé une bonne partie de la journée à essayer de remonter la piste dans les rues de Mangalore, mais l'omniprésence militaire et policière avait provoqué des embouteillages monstres et compliqué les recherches.

Soulagé, il composa le code de l'une de ses cartes bancaires pour accéder au logiciel de surveillance satellitaire, le *Space Eyes*, en théorie réservé aux militaires de l'OTAN mais piraté et commercialisé depuis déjà une dizaine d'années. Le coût de la communication s'afficha sur la fenêtre : sept cent cinquante dollars, un tarif prohibitif qui n'empêchait pas un nombre croissant d'entreprises et de particuliers de recourir aux services de ces *Yeux de l'Espace*. Le Pentagone avait d'abord remué cieux et réseaux pour mettre fin à cette violation caractérisée du secret militaire, puis, après avoir débusqué les pirates, l'armée américaine avait rapidement compris le potentiel économique de ce logiciel et en avait elle-même orchestré l'exploitation. Elle en retirait un double avantage : un afflux non négligeable de devises et, surtout, un contrôle total des images diffusées par le logiciel sur le réseau.

En tant qu'ancien agent des services secrets américains, Duane était parfaitement conscient que les images retransmises par *Space Eyes* défileraient en simultané sur les écrans de contrôle des techniciens du Pentagone. Il savait également qu'une vue nocturne du vieux port de Mangalore ne suffirait pas à éveiller leur curiosité. Pour eux, il ne serait qu'un mari jaloux qui recherchait sa femme, un agent immobilier qui passait au crible la côte d'Oman ou un vieil original prêt à dépenser sept cent cinquante dollars pour jouer les voyeurs dans une lointaine ville au nom exotique.

Une image s'afficha peu à peu sur l'écran. Les lignes figées d'un palier et la forme claire d'une petite femme, d'une fillette, plus exactement.

« Pourquoi tu m'as emmenée dans ce trou ? »

Duane éteignit le pockuter, le referma et le glissa dans la poche de sa tunique. Janet sortait de la salle de bains, une serviette enroulée autour de la tête, une deuxième nouée sur la poitrine.

« Mangalore n'a vraiment aucun intérêt », poursuivit-elle.

Elle s'assit sur le lit et commença à bourrer un chilom de *bhang* – feuilles et fleurs de marijuana.

« J'avais envie de voir la mer d'Oman », répondit Duane.

Elle suspendit ses gestes pour lui décocher un regard exaspéré.

« Faudrait un jour que tu apprennes à grandir… »

Il ne savait pas ce qu'il détestait le plus chez elle. Ou cette espèce de psychologie de bazar qu'elle appliquait à toute heure du jour et de la nuit comme elle gavait de médicaments les miséreux indiens. Ou son mépris pour tout ce qui ne venait pas d'Australie. Ou son manque déprimant de sensualité. Elle avait été utile en son temps – on se méfie beaucoup moins d'un couple –, elle devenait encombrante.

Janet alluma le chilom et le tendit à Duane, qui le refusa d'un mouvement de tête. La pièce s'emplit de l'âcre odeur de la marijuana. Ils avaient pris une chambre double et climatisée au Harjan Plaza, un hôtel anonyme du centre-ville. Les meubles et les papiers peints s'associaient au parfum de l'herbe pour leur donner l'illusion d'avoir remonté le temps jusqu'aux années 1970.

Duane se leva, enfila sous sa tunique le harnais de cuir qui contenait, outre son passeport, ses chèques de voyage et des médicaments de première urgence, un Smith&Weston modèle 4516 – une arme de faible encombrement qui tirait des balles d'un calibre 11,4 mm.

« Tu vas où ? demanda Janet d'une voix déjà alanguie par la marijuana.

— Faire un tour. »

Il avait déjà perdu trop de temps. Il lui fallait impérativement savoir ce que fabriquait le groupe d'Uttara Poodhyay sur le vieux port de Mangalore. Leur présence dans cette maison ou dans cet appartement avait probablement un rapport avec la bataille rangée qui avait opposé les Intouchables et les forces de l'ordre la nuit précédente.

Son correspondant à la BioGene, John Merrick, ne l'avait pas contacté depuis un bon bout de temps. Il se demandait comment interpréter ce silence prolongé. La BioGene avait-elle décidé d'abandonner le projet *Kali* ? Peu probable, elle avait trop investi dans le Dalit et dans la Carnatic Bio Tech pour renoncer au dernier moment à l'OGM mis au point par le vieux biologiste français. Duane pesta contre la règle instituée par Merrick qui lui interdisait formellement de l'appeler au siège de la compagnie dans le Kansas. Ali Bey et les autres dirigeants du Dalit avaient visiblement rompu le contrat qui les liait à la BioGene – Merrick et ses supérieurs n'avaient pas tenu compte de ses mises en garde –, et il se retrouvait maintenant seul sur un territoire hostile.

C'était peut-être une chance après tout. Sa chance. Ne valait-il pas mieux, après avoir récupéré les deux DVD, faire monter les enchères entre les plus grosses boîtes de biotechnologie américaines ou européennes ? Transformer d'un coup de baguette magique les trois millions de dollars de récompense proposés par John Merrick en plusieurs centaines de millions ? N'importe quelle entreprise, n'importe quel gouvernement, n'importe quelle organisation qui exploiterait l'invention de Jean Hébert détiendrait un pouvoir absolu sur le reste de l'humanité. Avec, à la clef, des milliards et des milliards de bénéfices.

« Tu ne veux pas rester avec moi, Duane ? »

La main sur la poignée de la porte, Duane se retourna et contempla Janet allongée sur le lit. La sévérité de son regard s'estompa. Il la trouva soudain émouvante dans les plis de ses serviettes à demi dénouées. Une morte reprenant vie sous ses suaires. La défonce se traduisait chez elle par un abaissement des défenses, un adoucissement des traits et du caractère, un arrondissement des angles, une fringale sexuelle passive et jamais assouvie. Il fut tenté de la rejoindre sur le lit et de lui faire l'amour une dernière fois, puis il se répéta qu'il avait déjà perdu trop de temps et sortit.

Il entrevit une silhouette dans le couloir. Un éclair gris. Un poids de plusieurs tonnes lui dégringola sur le crâne. Il n'eut pas le temps de ressentir la douleur, il sombra instantanément dans le néant.

Les yeux écarquillés de la fillette, âgée de dix ou onze ans, fixaient avec terreur le pistolet de Ramesh. Malgré ses cheveux emmêlés et sa robe maculée, elle n'avait pas l'allure d'une mendiante. Le khôl lui barbouillait les joues, le nez et le menton. Mark fit signe à Ramesh de baisser son pistolet et posa la tringle de rideau contre la cloison. La petite fille le regarda s'approcher avec une hébétude qui, davantage que l'état de sa robe et les contusions sur ses bras et ses jambes, révélait la violence de son traumatisme. Mark s'accroupit, lui sourit et, avec douceur, lui posa la main sur l'épaule. Elle tressaillit. Elle ne chercha pas à s'enfuir, résignée, comme morte de l'intérieur. Mark lui caressa les cheveux, la prit par la main et l'entraîna dans l'escalier.

Indrani souleva délicatement la robe de la fillette et examina ses cuisses souillées de sang. Elle lui adressa quelques mots en kannada, en toulou puis en konkani. Sans résultat.

« Ils l'ont violée…

— Bizarre qu'ils ne l'aient pas achevée, murmura Mark. Ce n'est pas leur genre de laisser des vivants derrière eux.

— Ils souillent tout ce qu'ils touchent. » La voix d'Indrani tremblait de colère. « Nous devons l'emmener d'urgence à l'hôpital.

— Finalement, tout ce merdier, c'est rien d'autre qu'une guerre de religion ! marmonna Fred.

— Les affrontements religieux sont la partie émergée de la nouvelle distribution du monde. Les prospecteurs génétiques vous en ont donné un petit aperçu dans les Ghats. Un pays ne peut prétendre conserver sa souveraineté s'il est dépossédé de sa biodiversité. La partition du monde ne sera plus géographique ou politique, mais biotechnologique… »

Un grondement enfla dans la nuit. Des lumières mouvantes balayèrent le plafond de la réception. Ramesh traversa la pièce en courant et se pencha sur l'œil-de-bœuf serti dans le bois de la porte.

« *Three cars ! The police !* s'écria-t-il.

— Bordel, j'en étais sûr, grommela Fred. S'ils nous chopent dans cette baraque, on est bons pour moisir en taule jusqu'à la fin de nos jours.

— *They're coming !*

— Là-haut », suggéra Mark.

Il tenta de tirer la fillette vers l'escalier. Elle sortit subitement de sa léthargie, lui échappa et courut en direction de la cuisine. Il hésita une fraction de seconde avant de s'élancer à sa poursuite.

« Laisse-la ! glapit Fred, la main posée sur la rampe de l'escalier. On n'a pas de temps à…

— On la suit ! cria Mark sans quitter des yeux la forme claire et fuyante de la fillette. Ils ne l'ont pas trouvée la première fois. »

Affolé, Fred demeura écartelé entre l'instinct qui lui commandait de se réfugier au premier étage – ces mêmes réflexes qui poussent certains animaux à grimper dans les arbres à la moindre alerte – et la raison qui lui conseillait d'obéir à la suggestion de Mark. Il vit, comme dans un rêve, Indrani et Ramesh se ruer à leur tour vers la porte de la cuisine, tergiversa encore, se retrouva brusquement seul dans la réception zébrée par les faisceaux des phares. Il gémit, résolut enfin de suivre les autres, se rendit compte qu'il était trop tard lorsqu'il perçut les pas précipités des flics sur les dalles des allées du jardin, s'élança dans l'escalier comme il se serait jeté dans le vide.

La fillette contourna le *tandoor*, le four en pierre traditionnel, passa dans l'arrière-cuisine, se faufila entre les étagères où s'entassaient des pots d'épices, des légumes et des fruits pourrissants. Elle pressa, sur le mur du fond, un commutateur qui ressemblait à un banal interrupteur électrique. Un pan du mur s'escamota avec un léger grincement, dégageant la bouche noire et arrondie d'une galerie. Elle s'y engouffra et dévala les marches d'un escalier qui s'enfonçait à pic dans les entrailles du sol. Indrani et Ramesh arrivèrent à hauteur de Mark, qui chercha des yeux la silhouette de Fred dans l'obscurité. Un fracas de porte retentit avec la force d'une explosion, suivi presque aussitôt de claquements de chaussures ferrées sur le carrelage et d'éclats de voix. Le pan de mur commençait à se refermer.

« Mark, vite ! » l'implora Indrani, figée sur les marches de l'escalier.

— On ne partira pas sans Fred », lâcha-t-il à mi-voix.

La tension lui électrisait la peau.

« Mark, s'il te plaît. »

Les bruits de voix et de pas se rapprochaient, les faisceaux de torches balayaient déjà l'obscurité de l'arrière-cuisine. La mort dans l'âme, Mark se glissa dans l'espace presque entièrement rebouché par le pan de mur.

Duane reprit connaissance, le crâne en miettes. Il voulut poser les mains sur ses tempes, ses bras ne lui obéirent pas. Il était attaché par les poignets aux barreaux métalliques de la tête du lit. À ses côtés, Janet, bâillonnée et ligotée elle aussi, fixait avec terreur les deux hommes qui vaquaient au centre de la pièce, un blond et un métis. Duane essaya machinalement de tirer sur ses liens, il ne réussit qu'à en resserrer la pression sur ses poignets. Il aperçut son passeport, ses chèques de voyage et son pistolet posés sur la table basse. Il était resté assez longtemps dans les services secrets américains – cinq ans – pour savoir que les deux intrus n'étaient pas de simples petits malfrats. Le sang séché sur un côté de son crâne lui tiraillait le cuir chevelu, ses yeux larmoyaient, son mal de tête lui donnait la nausée.

Ce n'étaient pas non plus des maniaques sexuels puisqu'ils avaient recouvert d'un drap le corps de Janet. Le métis gardait les yeux rivés sur l'écran du pockuter. Le clignotement du point lumineux de la balise balayait ses joues et ses pommettes d'éclats bleutés et changeants. Duane vit, à leurs cheveux encore mouillés, aux taches sombres qui maculaient leurs chemisettes, aux deux serviettes qui traînaient sur le carrelage, qu'ils avaient pris le temps de se doucher.

« Désolés de faire connaissance dans ces circonstances, fit le métis sans quitter le pockuter des yeux.

Mais mon ami – il désigna le blond d'un mouvement de tête – aime les présentations assommantes. »

Il reposa le petit ordinateur sur la table basse à côté du pistolet. Ses gestes précis et déliés, des gestes de chirurgien, traduisaient un caractère froid, implacable. Son anglais châtié évoquait la préciosité des WASP de la Nouvelle-Angleterre.

« Je vais maintenant vous poser quelques questions, reprit-il en braquant sur Duane un regard impénétrable. Vous seriez mal avisé de hurler : mon ami se verrait contraint d'utiliser des arguments frappants. »

Duane acquiesça d'un clignement de paupières, seul mouvement qui n'accentuât pas la douleur lancinante qui le fendait du crâne au bassin. Des larmes roulèrent sur ses joues. Ses pensées remontaient comme des poissons morts à la surface de son cerveau. De temps à autre, il sentait sur sa tempe, comme un oiseau cherchant à sortir de sa cage, les griffures du regard affolé de Janet.

« Nous avons rendu visite récemment à un certain John Merrick, poursuivit le métis. Ce nom vous dit quelque chose ? »

Duane savait maintenant ce qu'ils cherchaient. Ils étaient, comme lui, comme le Dalit, comme les services secrets indiens, comme Salinger et le W.E.R., comme Mark Sidzik et son copain rouquin, comme d'autres encore, sur la piste du projet *Kali*. Des fuites s'étaient probablement produites dans les bureaux de la BioGene, dans l'entourage de Jean Hébert ou dans les rangs du Dalit.

« Quand je pose une question, je veux une réponse. »

Le métis n'avait pas eu besoin d'élever la voix pour lui donner un ton menaçant. Duane comprit qu'il ne servirait à rien de nier l'évidence. Ils étaient pour l'instant en position de force, mais ils avaient besoin de lui et, tôt ou tard, l'occasion se présenterait de leur fausser compagnie. Il cligna des paupières. Une larme de douleur et de rage perla du coin de son œil et glissa, humiliante, le long de son nez.

« Les choses se passeront très bien si vous vous montrez raisonnable. Le nom de John Merrick nous a permis d'établir un contact avec Ali Bey, un chef du Dalit à Mumbai. Je suppose également que vous le connaissez ? »

Duane opina d'un grognement. La douleur s'estompait peu à peu sous son crâne, sa gorge se dénouait, ses muscles se détendaient, ses pensées se réorganisaient.

« Le Dalit n'a pas l'intention de respecter le marché passé avec la BioGene, ajouta le métis. La part destructrice de Kali contre sa part régénératrice. Le yin contre le yang. Les Intouchables veulent récupérer l'ensemble du projet et se poser en nouveaux maîtres du monde, maniant d'un côté le bâton, de l'autre la carotte. »

Duane s'éclaircit la gorge.

« J'avais… j'avais prévenu Merrick. » Le simple fait d'expulser quelques mots de sa bouche avait réveillé la douleur. « Il n'en a pas tenu compte…

— Il n'était pas compétent. Ali Bey non plus. Nous ne pouvons laisser un projet d'une telle envergure à des incompétents, n'est-ce pas ? »

Le métis s'assit sur le lit à côté de Janet. Elle hoqueta de peur et tira par à-coups sur ses liens, faisant trembler la structure métallique du lit. Il lui caressa la joue du revers de la main.

« Du calme, madame. Ali Bey nous a dit qu'il manquait une pièce au dossier. Comme son système de surveillance informatique nous a conduits à vous… » Il s'interrompit devant l'expression de surprise de Duane. « Vous ne saviez pas que vous étiez surveillé ?

— Comment aurait-il pu établir la liaison satellitaire ? grogna Duane. Je ne porte pas de balise émettrice.

— Ça, c'est ce que vous croyez. Les techniciens de la BioGene ne vous ont pas injecté un polyvaccin lorsqu'ils vous ont chargé de ce dossier ? »

Duane se souvint : une piqûre anodine dans le local médical du siège de la BioGene à Kansas City.

« C'est la dernière mode, reprit le métis. Organiser des campagnes de polyvaccins pour injecter des puces biologiques. Des balises permanentes et personnelles. Les bergers marquent leurs troupeaux. Ali Bey n'avait plus qu'à saisir votre code personnel pour vous localiser. D'ailleurs, si j'en juge par ceci – il désigna le pockuter –, vous utilisez le même procédé… »

Le blond tira une chaise devant le lit, s'assit à califourchon et tira un énorme revolver de son holster. La partie la plus désagréable de l'interrogatoire allait commencer. Janet fixait Duane d'un air tantôt effaré, tantôt implorant. Elle ne sortirait pas vivante de cette pièce, mais il ne pouvait plus rien pour elle. Il aurait déjà beaucoup de chance s'il réussissait à sauver sa propre peau.

La fillette se laissa tomber sur la terre battue et vomit tout à coup une logorrhée monocorde entrecoupée de crises de sanglots. Ils avaient parcouru plusieurs centaines de mètres dans le labyrinthe où régnait une odeur forte de moisissures et de putréfaction. Ils avaient d'abord affronté une descente abrupte, rendue dangereuse par l'obscurité et les arêtes des roches affleurant le sol, puis, après une partie relativement plane, ils avaient gravi une pente raide qui coupait le souffle et les jambes. Mark mobilisait l'essentiel de son énergie à repousser les signes annonciateurs d'une crise de claustrophobie. La mort rôdait dans ce boyau poisseux dont elle aspirait tout l'oxygène. Des grondements sourds battaient le silence caverneux comme d'amples expirations.

Indrani s'accroupit près de la fillette et la serra dans ses bras.

« Elle s'appelle Devi. Elle parle marathi, comme la plupart des chrétiens brahmaniques. Elle dit que des Intouchables sont entrés dans sa maison. Ils recherchaient l'homme qui est venu leur rendre visite. Ils ne l'ont pas trouvé. Ils ont interrogé son père, ils sont devenus fous, ils ont tué tous les hommes de la famille, ils ont arraché les vêtements de sa mère et des autres femmes, ils leur ont fait des choses horribles avant de leur trancher la gorge… »

La fillette continua de parler, disloquée par les spasmes et les crises de larmes.

« Elle s'était cachée derrière un rideau, ils l'ont trouvée, ils l'ont allongée sur un canapé, ils se sont couchés l'un après l'autre sur elle et lui ont fait très mal au ventre. Puis ils ont ri, ils ont fumé une cigarette, elle en a profité pour leur échapper, ils lui ont tiré dessus, ils l'ont manquée, elle s'est réfugiée dans le passage secret de la maison, elle est restée cachée dans le souterrain. Elle en est ressortie à la tombée de la nuit, elle est montée à l'étage pour voir s'il ne restait personne de vivant. Elle nous a entendus entrer, elle a eu très peur, elle a cru que nous étions partis, elle est sortie de sa chambre et elle vous a vus sur le palier. Elle est persuadée qu'elle a commis un péché mortel avec les Intouchables, que son ventre la fera souffrir toute sa vie et que ses parents iront en enfer par sa faute. »

La colère chassa en Mark l'inquiétude et le sentiment de claustrophobie. Il n'avait pas d'enfant, il n'en voulait pas à cause de la fatalité qui s'attachait à la lignée des Sidzik, mais, dans les diverses régions du monde où l'avaient conduit ses enquêtes pour le W.E.R., c'étaient les sévices infligés aux enfants qui lui laissaient les souvenirs les plus cuisants, les plus nauséeux.

« Est-ce qu'elle sait où est passé l'homme que recherchaient les Intouchables ? »

Indrani traduisit la question de Mark. Devi marmonna quelques mots avant de fermer les yeux et de s'endormir comme une masse.

« Elle a dit que nous le trouverions un peu plus loin, dans la grotte. Il était blessé lorsqu'il est entré dans la maison. Elle l'a conduit dans le passage secret, mais elle n'a pas pu le soigner… »

Ils reprirent leur marche aveugle dans le labyrinthe. Ramesh portait la fillette. La fraîcheur et la salinité soudaines de l'air les avertirent, au grand soulagement de Mark, qu'ils approchaient de la sortie : des senteurs d'iode et d'algues masquaient en partie l'odeur de putréfaction.

Ils trouvèrent, assis contre une paroi tapissée de mousse, un homme d'une quarantaine d'années aux épaules larges, aux traits fins et à la chevelure luisante.

« Venkatesh », souffla Indrani.

Une lueur oblique et pâle caressait son visage immobile et ses yeux grands ouverts. Sa chemise claire s'ornait sur le côté gauche d'une large corolle rouille.

Indrani s'accroupit et lui saisit le poignet. Elle se retourna vers Ramesh et Mark en secouant lentement la tête. Surmontant son horreur, elle souleva un pan du lungi, dévoila les jambes brunes du cadavre et découvrit, entre les deux cuisses, l'étui d'un poignard, un pistolet dans un holster et un petit sac en cuir fermé par un lacet. Elle tira le poignard pour couper les liens qui maintenaient la pochette attachée au ceinturon, se releva et essuya, avec son pallav, la sueur perlant sur son front.

Elle ouvrit la boîte en fer ronde et plate qu'elle dégagea du sac en cuir. À l'intérieur, un disque brillant reposait sur un mince capiton de tissu, un DVD Blue Ray d'une capacité de plusieurs centaines de giga-octets.

« Il n'existe vraiment aucune copie de ce DVD ? » demanda Mark.

L'excitation avait supplanté la peur dans les yeux d'Indrani. Ramesh se tenait en retrait dans la pénombre, immobile, attentif.

« Aucune. Il nous faut maintenant l'autre partie.

— Pour la remettre à qui ? »

Elle le fixa d'un air grave, presque solennel.

« Au moins pour l'arracher des mains du Dalit.

— Tu devrais d'abord mettre celle-ci en sécurité, non ?

— Je ferai le nécessaire demain matin. »

Elle remit le disque dans la boîte, la boîte dans la pochette en cuir, et se recueillit quelques secondes devant la dépouille de Venkatesh.

Les rochers environnants avaient servi à l'édification d'un temple dravidien en ruine et envahi par la végétation. Des macaques alarmés par leur intrusion sautèrent d'une statue à l'autre et secouèrent les branchages en montrant les dents. Mark leva un regard reconnaissant sur le ciel étoilé. Les espaces clos pouvaient engendrer chez lui des crises aiguës dont il mettait parfois deux jours à se remettre. Il n'avait jamais cherché à comprendre d'où lui venait cette terreur de l'enfermement. Il savait seulement que les premiers symptômes s'étaient manifestés après la mort de ses parents et qu'ils avaient tendance à s'amplifier avec le temps.

Guidés par le grondement régulier des vagues, ils suivirent un vague sentier qui s'enfonçait dans une végétation luxuriante et débouchait, cinquante mètres plus loin, sur une crique sablonneuse. La lueur des étoiles pailletait l'écume des vagues et soulignait les masses sombres des barques de pêche alignées sur le sable. Des relents d'épices et de poisson grillé se diffusaient dans l'air tiède. Les lumières de la colline de Mangalore veillaient sur le croissant gris de l'anse, dominées par les flèches enflammées des tours.

Ramesh reposa Devi, toujours endormie, sur le sable. Il s'entretint pendant quelques instants avec Indrani avant de s'éloigner en direction du vieux port.

« Il va essayer de savoir où est passé Fred », dit Indrani.

Elle déroula le pallav de son sari, incisa la soie avec ses dents, déchira un pan d'un mètre avec lequel elle recouvrit la fillette. Mark suivit des yeux la silhouette de Ramesh avalée par la nuit.

« Je vais avec lui…

— Il se débrouillera mieux seul. La police est sur les dents et, en tant qu'Indien, il n'attire pas l'attention.

— Qu'est-ce qui a bien pu se passer dans la tête de Fred ?

— Trop de raisonnement tue l'intuition.

— Tu ne l'aimes pas, hein ? »

Indrani contempla les langues grésillantes et moussues des vagues.

« Il m'intrigue autant que je l'intrigue, répondit-elle d'un ton songeur. Nous nous tenons sur les pôles opposés de la même sphère. »

Elle rajusta le pan d'étoffe sur le corps de Devi, délaça ses sandales, posa dessus la pochette en cuir, déroula le bas de son sari et dégrafa les boutons de son choli. Entièrement nue, elle prit le temps de replier les cinq ou six mètres de soie avant de s'avancer vers la mer. Mark la regarda s'enfoncer dans l'eau jusqu'aux cuisses et s'affaisser dans le bouillonnement d'écume. L'envie le traversa de la rejoindre, mais son regard tomba sur le visage apaisé de Devi, et il décida de rester veiller sur la fillette.

Il lui tardait soudain de rentrer à Paris. De replonger dans l'atmosphère familière du treizième arrondissement, de manger des raviolis trop cuits au Pho Banh Cūon, de flâner devant les étals de fruits et de légumes chez Tang Frères, de rejoindre Joanna dans son capharnaüm, d'entendre le pas lourd et pressé de Fred sur les gravillons de l'allée…

Est-ce qu'il reverrait un jour l'emmerdeur Cailloux ?

Il saisit une poignée de sable et la laissa s'écouler entre ses doigts. Il n'avait pas appris à accepter la part hasardeuse de l'existence, cette succession d'aléas qui jette les êtres humains sur des courants tantôt favorables tantôt contraires. Sa passion pour l'astronomie n'était qu'une tentative désespérée de comprendre la place de l'homme dans l'univers, de découvrir les mécanismes invisibles qui régissent l'existence des uns et des autres. Les réponses se terraient quelque part dans l'incertitude quantique : l'observateur modifie la réalité et en crée une nouvelle. Quel impact les pensées et les actions humaines ont-elles sur le monde qui les entoure ? Samuel et les autres avaient-ils un moment ou l'autre influé sur leur destinée et préparé leur mort ?

Des bruits le tirèrent de sa rêverie. Quelques mètres plus loin, Indrani essorait ses cheveux, la tête penchée sur le côté. L'éclat lointain des étoiles parait sa peau brune de diamants éphémères. Il fut de nouveau subjugué par sa beauté, par le galbe de ses épaules, la plénitude de ses seins, l'étranglement de sa taille, l'arrondi de son ventre. La flambée de désir qui l'embrasa s'éteignit presque aussitôt. Ni elle ni lui n'étaient dans la disposition d'esprit qui leur aurait permis de renouer avec l'extase bouleversante qu'ils avaient connue sur les Ghats. Elle frissonna, déplia son sari, s'y allongea, ferma les yeux et s'abandonna à la caresse de la brise marine.

Il s'assit dans le sable et, bercé par le murmure de la mer, resta immergé dans ses pensées pendant un temps qu'il aurait été incapable d'évaluer. Ses yeux se posaient parfois sur le visage de Devi, s'échouaient parfois sur le corps d'Indrani et, au-delà, sur le flux décroissant des vagues. Il finit par s'allonger et contempler la voûte céleste : la ligne brisée de l'Hydre, la queue recourbée du Scorpion, les plateaux de la Balance, le foisonnement lumineux du Sagittaire… Cette carte éternelle qu'il connaissait si bien et que les hommes, prisonniers de leur temps, négligeaient trop souvent de consulter.

Une silhouette émergea de la nuit et vint dans leur direction. Indrani enfila son choli et se drapa dans son sari à une vitesse qui sidéra Mark.

Ramesh rapportait de son expédition des thali enveloppés dans du papier journal, une fiole d'alcool à 90°, un petit sac de ouate, des couvertures de laine et de mauvaises nouvelles. Les voitures de police stationnaient toujours devant la maison de Sri Prajapati et l'armée avait de nouveau bouclé le quartier du vieux port. Un début d'émeute avait éclaté autour du marché aux poissons. Les pêcheurs s'en étaient pris aux soldats, responsables à leurs yeux d'un manque à gagner dramatique pour leur profession déjà sinistrée par le développement de la pêche industrielle. Les soldats paniqués avaient tiré dans la foule et fait une vingtaine de morts.

Indrani étala une couverture sur le corps de Devi.

« L'Inde est au bord de l'explosion, murmura-t-elle, l'air sombre. Les Intouchables ont infiltré toutes les corporations menacées de disparition par la concurrence mondiale. Les Sudra, les paysans, les populations des basses castes grossissent de jour en jour l'armée des parias.

— L'injustice engendre les révoltes, dit Mark. C'est un mécanisme d'action-réaction implacable.

— Le gouvernement de Delhi a pourtant essayé d'interdire le système des castes ! soupira l'Indienne. Mais on ne se débarrasse pas en quelques années de coutumes plusieurs fois millénaires. Les lois de Manou avaient leur utilité, au moment où elles ont été promulguées. Elles ne signifient plus rien dans le contexte actuel.

— Tu regrettes l'ancien temps ? »

Elle dégagea précautionneusement un thali de son emballage et posa à ses pieds les barquettes en plastique qui contenaient les sauces, le dhal et les beignets de légumes.

« Je regrette seulement que le présent soit aussi mort que le passé.

— Le présent n'est pas figé. Les Intouchables essaient de l'écrire à leur manière.

— Ils ne font que reproduire un comportement mortifère. Tu parlais tout à l'heure d'action-réaction. C'est la meilleure définition du Karma. Certains d'entre nous essaient justement de briser le cercle vicieux, de redonner sa véritable dimension au présent. »

Ils mangèrent en silence. De temps à autre, Devi gémissait, s'agitait, repoussait la couverture avec les jambes.

« Fred a dit une chose très juste à Mysore, reprit Indrani après avoir remonté la couverture sur le corps de la fillette. La quête de la perfection, voilà le gouffre dans lequel sombre l'humanité.

— On ne peut pas reprocher aux hommes de vouloir s'élever au-dessus de leur condition.

— Les hommes sont animés par un besoin fondamental d'évolution, c'est vrai. Mais ils cherchent à l'extérieur d'eux-mêmes des réponses qui se trouvent à l'intérieur. Ils croient que leur valeur se mesure à l'importance de leur pouvoir ou de leur avoir, ils mettent la terre à feu et à sang pour prendre ce qui ne leur appartient pas. »

La colère sourde avec laquelle elle avait prononcé ces mots amena de la perplexité sur le visage de Ramesh.

« Trop risqué d'aller en ville maintenant, poursuivit-elle d'un ton las. Essayons de dormir un peu. Nous partirons à la recherche de Fred demain matin. »

Mark ne trouva pas le sommeil tout de suite, contrairement à Ramesh dont le ronflement couvrit rapidement le bruit des vagues. La contemplation du ciel étoilé lui permit progressivement d'oublier son inquiétude, de dériver sur le fil de plus en plus nébuleux de ses pensées.

Une sensation de mouvement le sortit de sa torpeur. Quelqu'un se glissait sous sa couverture, un corps se frottait contre le sien. Il crut qu'il rêvait. Il lui fallut un peu de temps pour reconnaître l'odeur et la chaleur d'Indrani. Elle avait gardé son choli mais retiré son sari. Ses lèvres d'une fraîcheur piquante se faufilèrent dans l'échancrure de sa chemise. Ils firent l'amour avec une douceur, une lenteur exaspérantes, sans un bruit, tout entiers contenus dans le présent.

14

La lumière incertaine de l'aube révélait un spectacle de désolation sur le vieux port. Des poissons jonchaient par centaines les places, les rues et les trottoirs. Le vent levé par la marée montante dispersait les journaux destinés à l'emballage, des pans de tissu et des déchets de toutes sortes. Des chiens errants et des mendiants fouillaient les poubelles renversées sous le regard somnolent de soldats casqués, armés de fusils d'assaut et répartis par groupes de cinq tous les vingt mètres.

Devi n'avait plus la force de marcher. Ramesh la portait. Une demi-heure plus tôt, Indrani avait soigné les plaies de la fillette avec du coton imbibé d'alcool. Tordue par la douleur, Devi n'avait pas cherché à se soustraire à la morsure cuisante du désinfectant. Elle avait poussé un hurlement déchirant lorsqu'elle s'était accroupie pour uriner derrière une barque. Les pêcheurs qui installaient leurs filets dans leurs embarcations aux couleurs criardes avaient tourné dans sa direction un regard intrigué.

« Nous l'emmenons à l'hôpital, avait décidé Indrani. Nous avons déjà trop attendu. »

Aucun des nombreux barrages de soldats ne les interpella dans la rue déserte qui grimpait vers le centre de Mangalore. La ville se relevait de cette deuxième nuit d'insomnie avec une mine des mauvais jours. Les commerces n'avaient pas relevé leurs rideaux de fer, les passants rasaient les murs de peur de recevoir une balle perdue, les vendeurs des rues tardaient à investir les trottoirs. Indrani héla un des rares taxis en circulation, une antique 309 Peugeot de couleur blanche. Le chauffeur, un vieil homme au crâne dégarni, au front couvert de cendres et barré de trois traits noirs, jeta un regard circonspect sur Ramesh et la fillette, mais finit par s'arrêter une dizaine de mètres plus loin.

« Je reste dans le coin pendant que vous filez à l'hôpital », dit Mark.

Indrani lui effleura le bras.

« Ce n'est pas prudent. Des Intouchables peuvent encore rôder dans les parages.

— Je dois retrouver Fred. »

Elle le fixa avec une expression de tristesse qui le fit frissonner de la tête aux pieds.

« Rendez-vous au restaurant du Taj Mandarum Hotel. »

Elle se glissa sur la banquette arrière. Ramesh installa Devi sur ses genoux.

« *Do you want my gun, mister ?* » demanda l'Indien.

Mark refusa. Indrani ne le quitta pas des yeux jusqu'à ce que la 309 disparaisse à l'angle de la première rue. Elle ne le tenait pas par les couilles, selon l'expression de Fred : ils avaient parcouru, chacun de leur côté, un bout de leurs chemins intimes. Il aurait pu s'engager avec une femme comme elle. Malgré sa part d'ombre, malgré les révélations de Duane, malgré les mises en garde de Fred.

Il suivit l'itinéraire qu'ils avaient emprunté la veille. Le soleil levant ensanglantait la mer d'Oman, dispersait les derniers vestiges de la nuit, ravivait les teintes éclatantes des volets et des enseignes. Serrés les uns contre les autres le long de la jetée, les bateaux de pêche s'entrechoquaient sous l'effet d'une légère houle. Des pêcheurs palabraient par petits groupes entre les essaims verts des soldats.

Animé par l'espoir un peu fou d'entrevoir la silhouette lourdaude de Fred entre ces murs à la blancheur passée, Mark remonta la venelle encore noyée de pénombre. Des mendiants allongés et entremêlés dormaient de chaque côté d'un escalier. Plus haut, il croisa trois hommes vêtus de jeans, de chemises et de chaussures de sport. Allure provocante, regards méprisants, des membres du Dalit peut-être. Il regretta d'avoir refusé le pistolet de Ramesh et se plaqua contre un mur pour leur laisser le passage. Ils ralentirent ostensiblement lorsqu'ils parvinrent à sa hauteur. L'un d'eux prononça quelques mots qu'il n'était pas nécessaire de comprendre pour en percevoir la teneur belliqueuse. Les deux autres éclatèrent de rire. Leur insolence exaspéra Mark. Les poings serrés, les jambes fléchies, il guetta le moindre signe d'agressivité de leur part pour leur voler dans les plumes. Interloqués par son changement d'expression, ils cessèrent de ricaner et s'éloignèrent sans demander leur reste. Il eut besoin de quelques minutes pour recouvrer son calme.

Deux sentinelles montaient la garde de chaque côté du portail de la maison de Sri Prajapati. Mark tourna dans la première ruelle sur sa droite, redescendit sur le vieux port et longea la jetée jusqu'au phare. Là, il s'accouda au garde-corps et observa les bateaux qui, coiffés de leurs panaches noirs, s'élançaient sur le miroir rougeoyant de la mer d'Oman. L'odeur d'Indrani veillait sur lui comme une ombre. La vie était étrange : alors qu'une épée de Damoclès menaçait l'Occident et, par extension, la planète entière, c'était le sort du seul Fred Cailloux qui accaparait ses pensées. À quoi se réduisait le monde sinon à l'idée que chacun s'en faisait ?

« Dis bonne nuit à la dame, Abel… »

Le métis entraîna Duane sur le palier de l'escalier extérieur qui servait également de terrasse à la chambre. Le soleil rasant miroitait sur les marches métalliques encore humides. Le blond saisit un oreiller et souleva un pan du drap avec le canon de son revolver. Duane croisa une dernière fois le regard épouvanté de Janet. Elle se tortillait comme une anguille sur le lit. Pauvre Janet. Elle ne reverrait jamais son Australie. Son grand rêve de sauver le monde se fracassait dans un hôtel anonyme du centre de Mangalore. Les dernières utopies s'étaient de toute façon pétrifiées dans les années 1980, tout comme les meubles et les papiers peints de cette piaule. L'oreiller assourdit la détonation de l'arme du blond.

La lumière du jour réveilla la douleur sous le crâne de Duane. Le métis lui avait lié les mains dans le dos et posé une veste sur les épaules. Ils avaient passé les dernières heures de la nuit – et dépensé la bagatelle de quatre mille cinq cents dollars – à épier les faits et gestes du groupe d'Uttara Poodhyay sur la plage de Malpe. Rien de passionnant : l'écran n'avait montré qu'un pan de ciel étoilé ; des soupirs à peine perceptibles s'étaient glissés entre les grondements lancinants des vagues… À l'aube cependant, ils avaient capté, au détour d'une conversation entre la fille et

Mark Sidzik – Duane s'était demandé où était passé le rouquin à la grande gueule –, l'information qu'ils recherchaient : le groupe était entré en possession du DVD. Cela s'était passé entre le moment où ils avaient découvert la fillette dans la maison du vieux port et celui où le satellite les avait localisés sur la plage de Malpe.

« Ce DVD, c'est le dossier *Kali* ? avait demandé le métis.

— En partie, avait répondu Duane.

— La partie qui manque au Dalit ?

— Hébert a joué les Salomon : il a préféré couper son invention en deux plutôt que de la détruire entièrement. Il voulait lui donner une chance d'exister tout en espérant qu'elle ne tomberait pas dans de mauvaises mains.

— Elle représente un tel potentiel économique qu'elle finira un jour ou l'autre par tomber dans de mauvaises mains.

— Dans les vôtres, par exemple ? »

Le blond n'avait pas apprécié l'humour de Duane puisqu'il lui avait assené une gifle qui l'avait presque renversé de sa chaise. Une crise de nerfs avait alors secoué Janet, toujours ligotée et bâillonnée sur le lit. Il avait fallu que le métis lui jette un verre d'eau froide sur le visage pour qu'elle consente à se calmer.

« Je suppose que vous savez comment procéder pour reconstituer l'ensemble… »

La chance de Duane se tenait là, dans le fait qu'il s'occupait de cette affaire depuis plus de trois ans et que les deux affreux avaient besoin de certaines de ses connaissances.

« Qu'est-ce que je gagnerais à vous le dire ?

« — Un sursis, avait répondu le métis. Appréciable dans votre situation.

— Et si je refuse ?

— Nous nous débrouillerons par nous-mêmes. Ça sera sans doute un peu plus long. Mais pour vous ça sera nettement plus court. Et avec ça – il avait brandi le pockuter –, nous nous en sortirons. »

Duane avait alors jugé opportun de leur lâcher quelques renseignements : la première moitié du dossier *Kali* se trouvait dans le laboratoire clandestin du Dalit, qui lui-même se situait quelque part dans le *jhuggy*, le bidonville de Mumbai. Le métis avait hoché la tête avec un sourire froid, puis il avait enfilé sa veste et glissé le pockuter dans la poche intérieure.

Le blond referma consciencieusement la porte-fenêtre derrière lui. Il s'était passé un peu d'eau sur le visage et sur les cheveux. Impossible de deviner la bosse de son holster sous sa veste ample et croisée. Impossible également de déceler la moindre émotion dans ses yeux clairs ou sur ses traits poupins.

« Vous n'étiez pas obligés de la tuer, murmura Duane, livide.

— La règle de base de notre métier est de ne jamais laisser de témoins derrière nous, répliqua le métis d'un ton presque enjoué. Vous n'auriez pas dû la mêler à vos petites affaires. Allons-y maintenant. Nous avons rendez-vous avec notre moitié de *Kali*. »

Mark poireauta plus d'une heure dans la salle d'attente crasseuse de l'hôtel de police. Les pales sifflantes du ventilateur ne parvenaient pas à remuer l'air plus épais que de la boue. Un flic en uniforme l'introduisit enfin dans un bureau étouffant où un quadragénaire enclin à l'embonpoint s'agitait derrière une muraille de dossiers ficelés et posés les uns sur les autres comme des briques. S'appliquant à garder son calme, Mark lui demanda si la police n'avait pas trouvé le corps d'un Français dans une maison du vieux port. L'*examining magistrate* hocha la tête d'un air grave, puis, tout en jetant à son interlocuteur des regards empreints de méfiance compassée, donna trois coups de fil successifs.

Après avoir raccroché, l'Indien déclara que la police et l'armée avaient ramassé de nombreux corps lors des deux dernières nuits, qu'on comptait parmi eux deux ou trois étrangers, qu'il était débordé de travail, que la paix régnait d'habitude à Mangalore, qu'il ne comprenait pas pourquoi le Dalit avait déclenché une attaque aussi meurtrière sur le vieux port. Il lui conseilla de se rendre à la morgue de l'hôpital puis, s'il reconnaissait son ami français, de revenir à l'hôtel de police afin de faire une déposition et de remplir les formalités de rapatriement du corps. Après quoi, il ouvrit un dossier et s'abîma dans la contemplation d'un document sans plus se soucier de son interlocuteur. Mark sortit du commissariat plus désemparé encore qu'il n'y était entré. Tant qu'il n'aurait pas vu son cadavre, il resterait incapable d'envisager la mort de Fred.

Il héla un taxi, se ravisa au dernier moment, voulant d'abord s'assurer qu'Indrani et Ramesh ne l'attendaient pas au Taj Mandarum Hotel. Il s'engouffra dans le restaurant et embrassa du regard la grande salle où s'agitaient deux serveurs empressés. Il ne vit ni Indrani ni Ramesh parmi les clients, indiens pour la plupart. Un maître d'hôtel obséquieux lui demanda s'il souhaitait prendre un petit déjeuner. Il tourna les talons sans répondre, traversa le hall de l'hôtel comme un somnambule, tenta d'attirer l'attention des nombreux rickshaws qui filaient à vive allure dans Old Port Road. Aucun d'eux ne daigna s'arrêter. Il se maudit d'avoir renvoyé le taxi quelques instants plus tôt.

Ce petit manège dura dix bonnes minutes avant qu'une Fiat Uno noire s'extraie du trafic et s'immobilise contre le trottoir. Comme elle n'était équipée ni de plaque ni de compteur, il ne bougea pas. Le conducteur lui adressa de grands signes par la vitre. Après une légère hésitation, Mark s'approcha à pas lents de la portière. Un jeune homme au visage rond et aux grands yeux noirs l'examinait avec une attention soutenue.

« *Are you Mark Si... Sissik ?* »

Mark acquiesça d'un hochement de tête. Le jeune homme eut un sourire enfantin.

« *Come with me, please. Mrs Indrani and Ramesh are waiting for you.*

— *Where are they ?*

— *In the Hospital.* »

Mark se pencha pour inspecter l'intérieur de la Fiat. Le polo jaune vif du conducteur tranchait sur le velours sombre des sièges.

« *Mrs Indrani and Ramesh are with your friend*, ajouta le jeune homme.

— Fred ?

— *I don't know his name.* »

Le cœur de Mark s'emballa. Il s'installa sur le siège passager. Le jeune homme lui tendit la main.

« *My name is Prasan.*

— *How did you recognize me ?*

— *Your eyes, your hair, your skin...* »

Flambant neuf et ultramoderne selon Prasan, l'hôpital était situé à l'extérieur de la ville, non loin de l'aéroport de Bajpe. Le jeune Indien confondait visiblement la conduite en ville avec le pilotage de rallye. Jouant sans cesse avec le levier de vitesses, il doublait aussi bien à gauche qu'à droite, se faufilant avec une adresse diabolique entre les camions, les bus, les voitures, les rickshaws et les charrettes. Il grillait allégrement les stops, les feux rouges, et trompait son impatience en faisant ronfler son moteur quand l'encombrement des rues ne lui offrait pas d'autre choix que de s'immobiliser. Les haut-parleurs de son lecteur CD crachaient une sorte de rap local où se détachaient les notes incongrues d'un vina.

Il ne leur fallut pas plus de dix minutes pour s'extraire du centre-ville. Ils traversèrent à vive allure une banlieue où les minuscules bungalows enfouis dans la végétation côtoyaient les fabriques de tuiles, les scieries, les ateliers de céramique et les bâtiments ultramodernes des boîtes informatiques. À plusieurs reprises, alors que la collision paraissait inévitable, le jeune Indien réussit à se rabattre sur le bas-côté d'un coup de volant aussi brutal que précis. L'extrême attention que requérait ce type de conduite et le vacarme de la musique dissuadèrent Mark de poser les questions qui lui brûlaient les lèvres. La Fiat Uno avala les courbes serrées d'une descente vertigineuse, attaqua, après une courte portion de plat, les lacets de la colline où se nichaient l'hôpital et l'aéroport de Bajpe.

La végétation, exubérante, étouffait peu à peu les toits et les façades. Les pneus mordaient l'asphalte ramolli par un soleil de plus en plus chaud. De temps à autre, Prasan se tournait vers Mark et lui adressait un sourire désarmant de naïveté. Il ne cherchait pas à épater son passager, il jouait seulement avec les limites, lançant à sa manière un défi à l'espace et au temps. Son jean à la coupe impeccable, ses chaussures de sport flambant neuves et sa gourmette en or massif en faisaient un parfait spécimen de la jeunesse dorée indienne.

Faute d'argent ou de temps, les murs de l'hôpital Indira Gandhi, un immense bloc rectangulaire, avaient conservé leur apparence originelle de béton brut. Des amas de gravats, des ronciers et des herbes folles parsemaient le bitume liquéfié des allées. Le rugissement assourdissant d'un avion qui se posait sur la piste voisine noya les décibels du lecteur CD de Prasan.

« *Follow me* », fit l'Indien après s'être garé entre deux ambulances sans tenir compte de l'énorme panneau qui réservait le stationnement aux véhicules de service.

Ils s'engouffrèrent dans le hall d'accueil – si tant est qu'on puisse parler d'accueil pour un vaste espace hérissé de piliers de béton, revêtu d'un carrelage hideux et saturé d'une écœurante odeur de désinfectant. L'hôpital servait également de dispensaire et de refuge. Une foule de miséreux avaient élu domicile dans les diverses salles d'attente. Des infirmières et des religieuses vêtues de blanc se débattaient au milieu des grappes humaines comme des insectes englués dans les pétales de plantes carnivores. Des malades au stade terminal agonisaient sur les grabats disséminés dans les couloirs.

« *Second floor…* »

Prasan s'engagea dans un escalier dont une marche sur trois attendait désespérément son habillage de mosaïque.

Mark consulta les pancartes lumineuses. Ils se dirigeaient vers un service de traumatologie. Fred n'était pas mort, il en avait la certitude désormais. Restait maintenant à savoir dans quel état il allait le trouver.

Les deux hommes parcoururent au pas de course le couloir du deuxième étage. Dans l'entrebâillement des portes apparaissaient des corps allongés, écartelés, des infirmières sanglées dans leurs blouses blanches, des toubibs à l'air important.

Un peu plus loin, Ramesh fumait une beedi, accoudé au balcon d'une fenêtre.

« *Here…* »

Prasan désignait une porte grande ouverte.

Mark se précipita dans la chambre. Agressé par la blancheur immaculée de la pièce, son regard tomba d'abord sur Indrani, assise contre un mur. Glissa ensuite sur un lit métallique. Sur une jambe plâtrée du bas jusqu'en haut, maintenue en l'air par un système de poulies. Sur un bras replié et enveloppé dans des bandelettes. Sur un visage blême et surmonté d'une touffe de cheveux carotte.

Une tronche superbe et fatiguée de Cailloux.

« Alors, Sidzik, on laisse tomber les amis ? »

Mark s'avança vers la tête du lit, le sourire aux lèvres. C'était bon d'entendre la voix de Fred, de croiser son regard bleu et vif, d'essuyer ses jérémiades et ses sarcasmes.

« C'est toi qui m'as laissé tomber, salaud. Tu m'as fichu une de ces trouilles. C'est grave ?

— Trois ou quatre fractures à la guibolle, une luxation de l'épaule. Les infirmières sont plutôt mignonnes dans le patelin. Et comme elles me tripotent sans arrêt…

— Pourquoi est-ce que tu ne nous as pas suivis ? »

Fred posa l'index de sa main valide sur sa tempe.

« Il se passe parfois de drôles de trucs là-dedans. Comme des courts-circuits.

— Qui t'a mis dans cet état ? Les flics ? »

Fred eut une moue piteuse.

« Pas besoin d'eux. J'ai paniqué comme un con au premier étage de cette putain de baraque. J'étais planqué dans une chambre, je les ai entendus monter, j'ai ouvert la fenêtre et j'ai sauté. Primaire comme plan, non ? J'avais pas prévu de tomber dans un escalier. Figure-toi que ces salopards m'ont interrogé pendant plus de deux heures avant de me transporter à l'hosto.

— Qu'est-ce que tu leur as raconté ?

— Des conneries. Un truc du genre que j'avais rendez-vous avec le musicien pour un reportage sur la musique carnatique, que les scellés étaient brisés avant mon arrivée.

— Ils t'ont cru ?

— Moyen. Ils sont venus me poser d'autres questions ce matin. Ils reviendront dans l'après-midi. J'ai appelé le consulat de Bangalore. Le consul en personne m'a promis un rapatriement sanitaire. Au moins, je n'aurai pas de comptes à rendre à cette enflure de Gozic. Va falloir te débrouiller sans moi, Mark. Désolé.

— Tu es en vie, c'est l'essentiel. »

Le regard de Fred passa d'Indrani, immobile sur la chaise, à Prasan, debout dans l'encadrement de la porte. D'un mouvement de la main, il demanda à Mark de se rapprocher.

« Tout ça pue la manipulation politique à plein nez, chuchota-t-il. Indrani se sert de toi. Demande-lui le DVD, conformément à la volonté de Jean Hébert, et rentre avec moi à Paris. »

Mark secoua la tête.

« On ne peut pas laisser la première partie des travaux d'Hébert aux mains des Intouchables, murmura-t-il.

— Putain, comment veux-tu que ces fanatiques reconstituent ce qu'un cerveau génial comme Hébert a mis plus de dix ans à mettre au point ?

— Les probabilités sont importantes : les connaissances progressent de plus en plus vite. Indrani est une ancienne Intouchable. J'ai besoin d'elle pour m'introduire dans le laboratoire du Dalit. »

L'inquiétude assombrit les yeux noisette de Fred.

« T'es bien un Sidzik ! Aussi cabochard que ta grand-mère ! Sois prudent : je sais que tu en pinces pour cette nana, mais je ne l'aime pas. Je n'aime pas son gorille, je n'aime pas ce satané pays ! Et je tiens à te revoir à Paris. »

Ils s'opposaient sur de nombreux points, mais ils se rejoignaient sur la hantise de l'éclatement du clan.

« Qu'est-ce que je peux faire pour toi ?

— Le consulat s'occupe de tout. Ah, si : essaie de me trouver une bouteille de whisky avant de filer. Ils doivent avoir ça à l'aéroport. Prends les roupies et les dollars qui me restent dans la poche de ma veste. Prends aussi mon téléphone.

— Garde-le. Si tu t'emmerdes, tu pourras au moins appeler en France. »

Visiblement ravi de leur rendre service, Prasan conduisit Mark et Indrani à l'aéroport de Mangalore. La jeune Indienne mit à profit le trajet pour donner quelques explications à Mark.

Tandis qu'ils emmenaient la fillette aux urgences, Indrani et Ramesh avaient eu la surprise d'entendre les éclats de voix de Fred dans le couloir du service de traumatologie. Ramesh étant accaparé par les procédures d'admission, Indrani avait prévu de retourner au centre-ville afin de prévenir Mark, puis elle avait rencontré Prasan dans le hall d'accueil. Il venait rendre visite à un ami opéré de l'appendice. Comme elle répugnait à laisser Devi seule aux mains des médecins, elle avait eu l'idée de s'adresser à lui. Moyennant cinquante roupies, elle lui avait proposé d'aller chercher un Occidental métissé d'asiatique au Taj Mandarum Hotel. Chrétien brahmanique, troisième fils d'une famille fortunée, il avait refusé l'argent mais accepté la mission avec d'autant de plaisir qu'il sautait sur tous les prétextes pour sillonner les routes accidentées des collines de Mangalore.

Elle avait ensuite passé un coup de fil à l'aéroport. Les vols à destination de Mumbai étant complets jusqu'à la semaine suivante, elle avait réservé des cabines sur un cargo qui faisait la liaison régulière entre Mangalore et Mumbai et qui appareillait en début d'après-midi. Elle estimait qu'après l'avion, le bateau était la meilleure solution pour couvrir les sept cents kilomètres entre les deux villes. Les travaux du Konkan Railway, la ligne ferroviaire qui longeait le littoral d'Oman, n'étaient pas encore achevés, et la mésaventure survenue sur les routes des Ghats occidentaux proscrivait la voiture.

Après une bonne heure perdue en formalités pour l'obtention d'un *liquor permit*, Mark acheta deux bouteilles de whisky dans une boutique de l'aéroport.

L'arrivée d'un 4 × 4 Maruti aux vitres teintées attira l'attention de Ramesh, toujours accoudé au balcon de la fenêtre du deuxième étage. Il suivit le véhicule du regard jusqu'à ce qu'il se gare le long d'une allée. Le premier à en sortir fut un *angrezi*, un Occidental blond vêtu d'un costume clair. Le regard méfiant – un regard de rapace – qu'il lança sur les environs attisa la curiosité de l'Indien. Ramesh avait suffisamment fréquenté les cercles mafieux de Mumbai pour savoir reconnaître un tueur au premier coup d'œil. Deux autres *angrezi* descendirent du 4 × 4. L'un avait la peau foncée et le crâne rasé, Ramesh tressaillit en reconnaissant l'autre : Duane Shorty, l'Américain à l'allure de routard qui lui avait proposé, trois mois plus tôt, dix mille dollars pour lui servir de relais satellitaire. Dix mille dollars, un pactole qui ne se refuse pas quand on gagne péniblement mille roupies par mois. Il avait empoché le premier tiers de la somme, cousu la balise à l'intérieur de son lungi et caché la caméra émettrice miniature dans une poche. L'Américain ne lui avait donné qu'une seule consigne : rester quoi qu'il arrive dans l'entourage d'Uttara Poodhyay. Il s'était donc appliqué à se rendre indispensable à la jeune femme, lui servant à la fois de chauffeur, de confident et de garde du corps, si bien qu'elle avait naturellement recherché sa protection lorsque le Dalit avait lancé son attaque sur l'ashram de Radnapoor.

À la façon dont les deux autres l'encadraient, il devina que Duane Shorty, traits hâves, catogan en berne, veste jetée sur les épaules, était leur prisonnier. L'homme au crâne rasé consulta rapidement l'écran à plasma d'un pockuter. Ramesh demeura pendant quelques secondes incapable de réagir, comme si un fusible avait sauté dans le réseau de ses connexions nerveuses. Il tira machinalement son pistolet de la ceinture de son lungi et déverrouilla le cran de sûreté. Le cri d'effroi d'une infirmière qui sortait d'une chambre glissa sur lui comme un songe. Il vit les trois hommes s'engouffrer dans l'hôpital par l'entrée principale. Repoussant une nouvelle attaque de panique, il s'élança dans le couloir, fendit un groupe d'infirmières et de médecins, se rua dans l'escalier qui desservait les étages supérieurs.

Le visage de Fred s'éclaira d'un sourire reconnaissant lorsque Mark entra dans la chambre et lui tendit les deux bouteilles.

« Le retour à la civilisation, enfin ! »

Pendant que Prasan s'assurait qu'aucune infirmière ne rôdait dans les parages, Fred éclusa d'un trait près du tiers d'une bouteille. Puis il se contorsionna avec la même agilité qu'une tortue couchée sur le dos pour planquer son « trésor » dans sa table de chevet.

« Vous savez où est passé Ramesh ? demanda Indrani.

— Aucune idée… »

Elle lança un regard inquiet à Mark.

« Qu'est-ce que t'attends pour foutre le camp, Sidzik ? grommela Fred en se redressant.

— Tu es sûr que…

— J'ai du raide, des clopes, la bouffe est normalement dégueulasse, les infirmières sont de vraies mères poules, le consulat s'occupe de mon cas, j'ai vu pire. »

Mark hocha la tête et se dirigea vers la porte.

« Attention à toi, Mark Sidzik. »

Mark le salua d'un geste du bras sans se retourner. Il entendit le bref échange de paroles entre Indrani et Fred, le « *good bye, mister* » sonore de Prasan. Il rendit machinalement son sourire à une jeune et jolie infirmière qui poussait un chariot dans le couloir.

Avant de partir, ils passèrent par le service de pédiatrie. Devi avait été admise dans une chambre de cinq lits. Un médecin de passage leur expliqua qu'on avait dû la placer sous anesthésie pour désinfecter ses blessures internes. Très pâle, elle fixait Indrani, penchée sur elle, sans la voir. Les trois ou quatre mots qu'elle bredouilla lui demandèrent un tel effort qu'elle finit par renoncer et laisser parler ses larmes. Indrani l'embrassa sur le front et lui promit de revenir la voir bientôt.

« Qu'est-ce qu'elle va devenir ? demanda Mark dans le couloir.

— Je ne sais pas encore… » Une grande tristesse imprégnait la voix d'Indrani. « L'hôpital a prévenu son oncle de Maduraï, mais il ne s'est pas encore manifesté. Une chose est sûre en tout cas : je ne la laisserai pas croupir dans un orphelinat.

— Et Ramesh ? On ne l'attend pas ?

— Il est sans doute dehors. »

Mike O'Shea se hissa sur le toit de l'hôpital. Comme il n'avait pas le temps d'utiliser le *Space Eyes*, il ne pouvait se fier qu'au point clignotant de la balise dont l'intensité augmentait au fur et à mesure qu'il s'en rapprochait. Ils avaient été repérés à leur arrivée à l'hôpital. Probablement à cause de Duane. Une erreur de ne pas l'avoir bouclé dans le coffre de la Maruti. Non seulement il avait annihilé l'effet de surprise, mais sa présence avait contraint Abel à rester en arrière et à laisser Mike se débrouiller seul.

La chaleur, accablante, lui coupa le souffle. La luminosité lui blessa les yeux. Les tourbillons de poussière soulevés par une haleine brûlante estompaient les cheminées, les antennes et les autres reliefs. Des gouttes de sueur perlaient sur son front et s'insinuaient dans ses yeux. Comme les foules, les transpirations intempestives le mettaient dans un état de rage proche de l'hystérie. Un vrai nid à phobies. Le porteur de la balise et de la caméra émettrice l'avait baladé dans tous les recoins de l'hôpital. Dans d'interminables couloirs, dans la salle des grands brûlés – l'antichambre de l'enfer –, dans une morgue silencieuse et envahie par les mouches, dans une sorte de déchetterie où s'entassaient le linge sale, les couches et les bandages usagés.

Le pockuter dans une main, le Beretta dans l'autre, Mike s'aventura prudemment sur le toit, s'appliquant à étouffer les crissements de ses chaussures sur les graviers. La balise clignotait comme un cœur affolé dans un coin de l'écran. Il arriva devant un escalier métallique tournant. Un mouvement attira son attention, quelque part sur sa gauche. Il lâcha le petit ordinateur, plongea sur les graviers, roula sur lui-même, se rétablit en souplesse deux mètres plus loin, enfonça la détente de son arme. La balle frappa la forme jaune enroulée sur la barre inférieure d'un garde-corps. Mike poussa un juron. Le porteur de balise s'était débarrassé de son lungi après avoir attiré son poursuivant sur le toit. Le métis saisit la pièce d'étoffe d'un geste rageur. Elle empestait la sueur. Il trouva d'abord la caméra émettrice dans une poche, palpa la forme de la balise cousue dans le tissu. Des bruits sourds entre les sifflements du vent attirèrent son attention. Il se pencha sur la cage de l'escalier.

Deux ou trois étages plus bas, une silhouette dévalait les marches.

15

Les formes anguleuses des entrepôts et les courbes sinueuses du cargo dansaient dans les effluves de chaleur.

Une inquiétude sourde tenaillait Mark.

Il y avait d'abord la disparition de Ramesh, qu'ils n'avaient retrouvé ni sur le parking ni dans les environs proches de l'hôpital. Indrani avait espéré qu'il les rejoindrait sur le quai, mais l'heure de l'embarquement approchait, et il n'avait toujours pas reparu.

Il y avait ensuite le poids sur ses épaules et sa nuque, l'impression que la mort l'épiait sur ces docks inondés de soleil.

Prasan s'était joué de la circulation pour parcourir en moins de vingt minutes la route entre l'hôpital et le bord de mer. Après les avoir déposés à l'entrée du port, il les avait salués d'un hochement de tête avant de jeter sa Fiat noire dans la circulation qui s'écoulait paresseusement en direction du centre-ville.

Adossée contre un bollard, la tête recouverte par le pallav de son sari, Indrani s'éventait nerveusement du plat de la main. Mark décelait de la peur dans ses yeux rivés sur l'entrée du quai. Des dockers, torse nu et luisant, s'activaient sans hâte autour d'un camion chargé de noix de coco et d'un chariot élévateur. Le capitaine du *Ganesh*, un petit homme aux cheveux blancs, supervisait le chargement depuis le pont supérieur.

Mark se demanda à nouveau s'il avait fait le bon choix. Indrani n'avait pas mis le DVD en lieu sûr, contrairement à ce qu'elle avait affirmé la veille. Elle l'avait seulement glissé dans son choli, comme si cette petite pièce de coton constituait la plus sûre des cachettes. Il lui avait rappelé l'immense danger représenté par le contenu de ce disque informatique : s'il tombait dans les mains des Intouchables, ils auraient la possibilité de fabriquer l'invention de Jean Hébert et de provoquer une pollution génétique aux conséquences incalculables. Elle lui avait répondu qu'elle préférait le garder sur elle : elle n'avait pas confiance dans la poste indienne, ni dans les banques, ni dans la police. Il avait deviné qu'elle lui taisait une partie de la vérité – une constatation qui confirmait la présomption de Fred –, mais il s'était donné le temps du voyage entre Mangalore et Mumbai, soit une nuit et un jour, pour prendre une décision.

« Plus vite !

La Maruti s'était engluée dans un trafic dense à l'entrée de l'agglomération. Abel exploitait les moindres lignes droites pour doubler les camions et les rickshaws, à gauche ou à droite. Brinquebalé par les coups de volants et les freinages intempestifs, Duane ne pouvait pas se servir de ses mains pour prévenir les chocs contre la portière ou le tableau de bord. Les deux affreux n'avaient pas jugé nécessaire de lui délier les poignets ni de boucler sa ceinture de sécurité.

Sur la banquette arrière, Mike tenait en joue l'Indien, qu'il avait rattrapé à l'issue d'une course-poursuite épuisante sur le terrain vague qui jouxtait l'hôpital. Comme il n'était pas parvenu à combler l'écart, il avait dû se résoudre à lui tirer une balle dans la jambe. Touché au mollet, le fuyard avait perdu l'équilibre et roulé dans les herbes folles. Mike avait entrevu la queue écailleuse et sinueuse d'un cobra entre les pierres brûlantes. Il avait déchiré la chemise de l'Indien pour le bâillonner et lui lier les pieds et les mains, puis, après avoir coupé la ficelle de son cache-sexe – un homme entièrement nu oublie en général toute notion de dignité et toute idée de révolte –, il était revenu sur ses pas pour aller chercher Abel et Duane, qui l'attendaient près du 4 × 4.

Ils apercevaient maintenant les aiguilles des grues et les cheminées des grands cargos au-dessus des toits de tuile rouge et des cimes luisantes des arbres. En arrière-plan, la mer d'Oman déroulait son bleu ruisse-lant jusqu'aux lointaines brumes de chaleur.

Il avait suffi qu'Abel frappe les deux arcades sourci-lières de l'Indien avec la crosse de son revolver pour que celui-ci, paniqué par la vue du sang, se mette à table. Il leur avait confié, dans un anglais syncopé, qu'Uttara Poodhyay détenait le DVD de Jean Hébert et qu'elle avait l'intention de rallier Mumbai à bord du *Ganesh*, un cargo amarré au port industriel. Ils ne l'avaient pas tué tout de suite, d'abord parce qu'ils pouvaient encore avoir besoin de lui, ensuite parce qu'ils n'en avaient pas vraiment le temps et que leur profession ne tolérait pas le travail bâclé.

Allongé sur la banquette arrière, Ramesh gémissait doucement. Le canon du pistolet du métis, posé en travers sur sa joue, lui irritait la pommette. Le sang, qui

214

avait cessé de couler de ses arcades, avait séché sur ses joues, ses épaules et le haut de son torse. Sa blessure au mollet l'élançait à chaque accélération, à chaque cahot. Ses yeux affolés se posaient de temps à autre sur la nuque de Duane, comme si sa seule chance de salut reposait sur l'homme à qui il avait vendu son âme. La peur de la mort, de plus en plus oppressante, prenait désormais le pas sur les regrets et le sentiment d'humiliation causé par sa nudité.

Le 4 × 4 s'engagea sur la route qui descendait en sinuant vers le port industriel. Abel doubla une charrette en plein milieu d'un virage. Il évita de justesse un bus qui venait en face. Ils traversèrent ensuite un carrefour où un petit flic, liquéfié dans son uniforme blanc, régulait la circulation avec des gestes théâtraux et des coups de sifflet péremptoires. Duane essaya d'attirer son attention en lui tirant la langue, mais n'obtint aucune autre réaction qu'un léger haussement des sourcils.

« La prochaine fois que vous vous livrez à ce genre de facétie, je vous loge une balle dans la colonne vertébrale à travers la banquette », murmura le métis d'un ton neutre, presque absent.

Ils atteignirent l'entrée du port un quart d'heure plus tard. Le planton de service, un gros homme d'une quarantaine d'années aussi suant qu'obséquieux, informa Abel que le *Ganesh* se trouvait sur le septième quai et lui ordonna de garer son 4 × 4 sur le parking extérieur, les véhicules particuliers étant en principe interdits dans la zone portuaire. Il accepta de faire une exception pour un *bakchich* de cinquante roupies et d'ouvrir la barrière pour un supplément de cinquante.

Ils traversèrent une première succession de docks encombrés de conteneurs, de camions, de chariots, de monticules de fruits, d'hommes, de femmes et d'enfants portant d'énormes sacs de jute. Mike avait entendu dire que, dans un certain nombre de pays, y compris en Amérique du Nord, les dockers sous-payaient des mendiants des deux sexes et de tous âges pour effectuer les travaux les plus pénibles à leur place. Les coques noires des grands bateaux s'agitaient comme des dieux affamés et impatients. Ils se frayèrent un passage difficile dans la fourmilière indifférente aux coups de klaxon. Les peaux et les yeux luisaient sous les rayons mordorés d'un soleil déjà déclinant.

Abel lâcha un juron lorsqu'ils débouchèrent sur le septième quai et qu'ils entrevirent la forme sombre et déjà lointaine du *Ganesh*. Le cargo, crachant un panache de fumée noire, se dirigeait au ralenti vers le chenal qui reliait le port et la mer. Les dockers désœuvrés buvaient du tchai et fumaient des Beedi à l'ombre des chariots et des conteneurs.

« Trop tard ! maugréa Abel en immobilisant le 4 × 4 au bord du quai.

— Nous savons que ce bateau va à Mumbai, dit le métis. Il nous suffit de nous renseigner auprès des autorités du port pour savoir quelle est sa destination précise et l'heure de son arrivée. Et de rouler toute la nuit pour le devancer. »

Duane frissonna. Ils ne prendraient sûrement pas le risque de l'emmener à Mumbai.

Un frôlement pourtant imperceptible réveilla Mark. Quelqu'un bougeait dans l'obscurité. Ses doigts fébriles explorèrent la cloison à la recherche de l'interrupteur. Le globe laiteux du plafond de la cabine s'emplit d'une lumière blanche et instable.

Indrani se tenait au pied de la couchette, les cheveux dénoués, vêtue d'une courte serviette-éponge.

« C'est sans doute notre dernière nuit, Mark… »

Elle avait pourtant pris sèchement congé de lui une ou deux heures plus tôt devant la porte de sa cabine. À aucun moment dans la soirée, elle ne lui avait adressé un geste ou un signe de complicité. Ni sur le pont, où ils étaient restés jusqu'à la nuit tombante, ni dans les appartements du capitaine où on leur avait servi le dîner. Elle avait maintenu avec lui une infranchissable distance, devenant à son tour l'un de ces astres qui traversaient ou avaient traversé son ciel intime et qui s'éloignaient inexorablement après l'avoir effleuré de leur chaleur : ses météores de parents, Samuel, l'étoile morte dont la lumière s'obstinait à briller à travers le temps, Joanna, qui s'embrasait dans un ultime feu, Fred, son étoile double…

Le ronronnement placide du cargo s'insinuait dans le silence nocturne.

Indrani frissonna.

« Mark, je ne voudrais pas que tu croies… »

Elle se tut, le fixa pendant quelques secondes avec une intensité presque blessante, puis, sans ajouter un mot, elle dénoua la serviette. Le ressentiment de Mark, ses doutes, sa méfiance s'évanouirent comme par enchantement. Ses allées secrètes le conduisaient immanquablement vers elle.

La route entre Mangalore et Goa n'était qu'une interminable succession de collines, de ravins et de marécages. L'étroitesse de la voie s'associait aux difficultés naturelles pour imposer une moyenne désespérément basse.

La chaleur avait liquéfié le bitume et, l'air conditionné ne fonctionnant pas, ils roulaient les vitres grandes ouvertes. Au sortir de Karwar, la dernière agglomération du Karnataka avant l'État de Goa, Abel engagea le 4 × 4 sur une route secondaire qui serpentait entre les rizières. Les silhouettes d'hommes, de femmes et de buffles se reflétaient sur le miroir moucheté de l'eau, assombri par la tombée de la nuit. Ils traversèrent ensuite un marécage, une plaine désolée où des arbres fantomatiques veillaient sur des champs frémissants de roseaux et de riz sauvage.

Les deux hommes étaient apparemment décidés à se débarrasser de l'Indien, devenu inutile. Duane avait pensé bénéficier d'un sursis jusqu'à l'entrée du laboratoire clandestin du Dalit, mais il n'était plus sûr de rien à présent et, tout en surveillant le sinistre ruban de bitume éclairé par les phares, il tirait de toutes ses forces sur ses liens pour essayer de les détendre. Peine perdue : les cordelettes avaient tendance à se resserrer et des crampes commençaient à lui tétaniser les bras. Une nuit épaisse ensevelissait maintenant le marais. Les squelettes des arbres se découpaient sur un ciel piqué d'étoiles.

Sur un signe du métis, le blond immobilisa le véhicule au beau milieu de la route – elle ressemblait désormais davantage à un chemin creux qu'à une route. Quand il eut coupé le moteur, un silence tendu redescendit sur les lieux, égratigné par le friselis des roseaux sous la brise et les cris lointains des oiseaux.

Sous la menace de son pistolet, le métis contraignit Ramesh à descendre. Au travers de la vitre, Duane entrevit les yeux de l'Indien. Deux étoiles tragiques sur le fond de ténèbres. Deux insupportables éclats quémandant une impossible grâce. La mort de Ramesh serait aussi misérable que sa vie : il partait dans le même état qu'au jour de sa naissance, nu, ensanglanté, désespéré – il avait raconté à Duane qu'il avait été abandonné quelques minutes après sa naissance sur le parvis d'un temple. Agenouillé, secoué de tremblements, il ne chercha pas à se rebeller lorsque le métis lui posa le canon de son pistolet sur la nuque. Un éclair, une détonation sourde. À la lueur des phares, Duane vit s'affaisser le corps brun de l'Indien dans les herbes qui bordaient une mare. L'aspect à la fois dérisoire et implacable de cette exécution l'horrifia. Des remords l'assaillirent. C'était en grande partie à cause de lui, à cause du marché qu'il lui avait proposé, que Ramesh était mort.

Le métis poussa du pied le cadavre jusqu'à ce qu'il commence à s'enfoncer dans l'eau.

« Descends ! »

Le blond braqua son énorme revolver sur la poitrine de Duane. Le sang de l'Américain se figea. Son tour était donc venu. Sans doute jugeaient-ils préférable d'attendre Uttara Poodhyay au port de Mumbai et de l'utiliser comme guide jusqu'au laboratoire du Dalit. Il ne leur était plus d'aucune utilité. Le métis ouvrit la portière et, du canon de son arme, le contraignait à descendre. Des rigoles froides furetaient sous sa tunique, sous son dhoti. La peur le changeait en bloc de glace.

« Descends, je te dis ! »

Une bourrade du blond l'éjecta de son siège et l'envoya rouler sur le bitume écaillé. Ce chemin perdu d'un marais de l'État de Goa était le bout de sa route. La panique lui coupa le souffle. Son instinct de survie reprit le dessus et, bien qu'il ne pût se servir de ses mains, il réussit à se relever. Ses deux bourreaux le fixaient avec une attention qui rappelait celle des enfants observant un insecte cloué sur une planche de bois.

Duane perdit tout contrôle sur lui-même et se mit à courir. Il longea la route sur une vingtaine de mètres, puis il avisa, sur sa droite, un sentier qui s'enfonçait dans le marais. Il s'y engagea, entendit un cliquetis derrière lui, courba la nuque, serra les fesses, parcourut encore une dizaine de mètres.

« Arrête, crétin ! » hurla le blond.

Le sol se déroba sous les pieds de Duane. Il tomba de tout son long dans une boue molle. Il voulut se relever : impossible. Il se rendit compte que l'eau suintait de la terre tout autour de lui. Il continuait de s'enfoncer. Horrifié, il se débattit, mais ses contorsions ne réussirent qu'à précipiter le mouvement d'aspiration de la terre. Il tourna la tête sur le côté pour continuer à respirer. Les silhouettes des deux affreux s'agitaient dans le halo des phares. Alors seulement, il se demanda pour quelle entreprise ils travaillaient. Et combien leur rapporterait le dossier *Kali*. Bien davantage, probablement, que les trois millions de dollars promis par Merrick. La boue s'infiltra dans ses narines, lui emplit la bouche, la gorge.

Trois millions qu'il ne toucherait jamais. Il songea encore à l'Australienne.

À son visage anguleux qui s'effaçait peu à peu.

À une méduse molle et noire qui flottait sur un fond clair.

16

Entre les tourbillons de brume, qui glissaient comme des derviches sur l'eau de la baie, se devinaient les empilages effrénés d'immeubles, d'échangeurs et de ponts déjà gangrenés par la lèpre du bidonville. Une course de vitesse s'était engagée entre les gigantesques chantiers de la ville satellite érigée au sud de Mumbai et l'afflux massif des miséreux attirés par le mirage économique de la métropole du Maharashtra.

Les contours de l'ancienne et mythique Bombay se dévoilaient devant Mark, accoudé au bastingage du pont supérieur. Il n'avait pas dormi plus de deux heures, et pourtant il ne ressentait aucune fatigue. Il comprenait maintenant ce qu'Indrani voulait dire lorsqu'elle prétendait avoir été la gardienne de la jeunesse de Jean Hébert. Elle entretenait la flamme du désir avec une vigilance de tous les instants. Il s'était endormi et réveillé en elle, et il avait éprouvé, en se retirant, la sensation d'être expulsé du ventre des origines. L'énergie qui fredonnait dans son corps se transformait en une tension intérieure qui décuplait ses perceptions et lui donnait l'impression d'être un fauve en chasse.

Indrani discutait quelques mètres plus loin avec le capitaine du cargo – très attiré par sa passagère à en croire son omniprésence et ses regards insistants. Il se disait adepte du jaïnisme, mais il était manifestement très loin d'avoir atteint le détachement propre aux *digambara*, les « vêtus du ciel ». Mark n'aimait pas ce petit homme au discours aussi faux que ses sourires. Sans doute y avait-il une part de dépit dans ce ressentiment : en s'accaparant Indrani, le capitaine l'empêchait de prolonger l'enchantement de la nuit. Elle semblait éprouver les mêmes sentiments que lui, d'ailleurs. Elle lui lançait régulièrement des regards à la fois implorants et désolés. Il la trouvait particulièrement belle dans la lumière douce de la baie. Même si elle n'avait rien dévoilé de son mystère, il avait l'impression de la connaître plus intimement que les autres femmes ayant partagé un pan de sa vie. Cette rencontre resterait une brève parenthèse, l'un de ces moments rares où deux êtres se relient, et il maudissait le capitaine de lui dérober des heures d'autant plus précieuses qu'elles étaient comptées.

Le *Ganesh* laissa sur sa gauche la corne sud de Colaba et ses couronnes d'immeubles clairs, et pénétra dans le port de Mumbai. À droite, sur le continent, les anneaux du serpent autoroutier se resserraient peu à peu sur les sept îles jadis occupées par les pêcheurs Koli. La chaleur moite fixait les odeurs de sel, de gasoil et de putréfaction. Une noria de navettes sillonnaient la baie entre l'île d'Elephanta et un pompeux arc de triomphe en basalte jaune, la *Gateway of India*, précisa le capitaine.

La fébrilité gagnait Mark au fur et à mesure que le cargo se rapprochait de Dhakka Baucha, son quai de destination. Déjà les hommes d'équipage, houspillés par les quartiers-maîtres, couraient dans tous les sens pour préparer l'accostage. Le capitaine s'éloigna à regret d'Indrani pour s'enfermer dans la cabine de pilotage. Un géant des mers, un tanker, se dirigeait vers le large en abandonnant un imposant sillage sur l'eau parsemée de détritus et de taches d'huile. Le cargo effectua une boucle pour se présenter parallèlement au mur de soutènement bordé de pneus. Anxieux, Mark reporta son attention sur les hangars et les entrepôts dont la rouille se diluait dans le gris des pavés et des conteneurs métalliques. Fred lui manquait bien davantage qu'il ne l'aurait pensé : ils étaient venus en Inde ensemble, ils auraient dû en repartir ensemble. Il n'y avait rien de suspect dans les mouvements qui agitaient les docks. Des chariots élévateurs, des camions et des hommes convergeaient vers le quai. Le soleil ne perçait pas tout à fait le voile gris et permanent qui estompait le ciel. Œil pernicieux, il dispensait une chaleur lourde, malsaine.

« Rien ne t'oblige à m'accompagner, Mark… »

Indrani s'était rapprochée de lui. Ses cheveux agités par la brise voletaient sur ses épaules. Elle extirpa la pochette en cuir de son choli. Il entrevit furtivement la naissance de ses seins par l'échancrure. Toutes les sensations de la nuit lui revinrent d'un coup.

« Jean Hébert voulait qu'il te soit remis, poursuivit-elle en lui tendant la serviette. Prends-le et fonce à l'aéroport de Sahar. Le reste ne te concerne pas. »

Il plongea pendant quelques secondes dans ses yeux couleur de terre brûlée.

« Comment ne pas se sentir concerné ? murmura-t-il – il se rendait compte en cet instant qu'il l'aurait suivie en enfer dans le seul but de retarder l'heure de la séparation. Le problème posé par l'invention d'Hébert intéresse des centaines de millions d'hommes.

— Par *les* inventions d'Hébert…

— Comment ça, *les* inventions ? »

Leurs voix se perdirent dans le ululement grave de la sirène du cargo. Le bateau parvint à caler avec une douceur surprenante ses cent mètres de longueur et ses vingt mètres de hauteur contre le quai. Les pneus suspendus, comprimés par le fer de la coque, grincèrent en sourdine. Les perspectives fuyantes se peuplaient d'autres entrepôts, d'autres bâtiments, d'autres quais. Au loin résonnaient les cris des dockers, les grondements des moteurs, la rumeur sourde de Mumbai.

« La déesse Kali a deux faces, répondit-elle.

— Ce n'est pas une réponse… »

Elle n'eut pas le temps de lui en donner d'autre. Le capitaine avait jailli du poste de pilotage comme un diable de sa boîte. Elle remit précipitamment la pochette de cuir dans son choli et rajusta son sari. Mark eut envie de gifler le petit homme vêtu de blanc qui s'avançait vers eux, l'œil luisant et le torse bombé.

« *Chalo, chalo, chalo !* »

Des colonnes industrieuses de dockers, vêtus de lungi et de chemises maculés de taches noires, transféraient le contenu des cales du bateau dans les camions bâchés alignés sur le quai.

L'homme et la femme qui se présentaient en haut de la passerelle correspondaient fidèlement à la description que L'Indien leur avait faite.

Abel et Mike avaient roulé toute la nuit sur des routes éprouvantes et étaient arrivés aux alentours de midi en vue de Mumbai. Ils avaient traversé l'étroite bande de terre qui coupe la baie de Thana et relie le continent au quartier de Chembur. Progressant avec une lenteur exaspérante sur l'autoroute noyée sous les gaz d'échappement, ils s'étaient peu à peu enfoncés dans le cœur géant et détraqué de la capitale du Maharashtra. Ils avaient erré un long moment dans le labyrinthe des rues étroites, engorgées, bordées d'enseignes criardes en hindi ou en marathi, de bâtiments victoriens à colonnades, de trottoirs pris d'assaut par une foule trépidante. Les manœuvres des bus à impériale et les caprices des vaches sacrées avaient sorti à plusieurs reprises Abel de ses gonds. Il avait fallu que Mike surmonte sa propre phobie du grouillement humain pour le ramener au calme. Craignant d'arriver trop tard, ils avaient regretté la mort de Duane, le seul homme qui aurait pu les conduire au laboratoire clandestin du Dalit. Ils n'avaient pas compris la réaction de leur compatriote américain dans le marais du littoral d'Oman. Il s'était imaginé qu'ils le faisaient descendre du 4×4 pour le liquider alors qu'ils avaient seulement voulu lui permettre de se dégourdir les jambes et de prendre l'air. Ils étaient arrivés trop tard pour le tirer de la terre meuble : à l'emplacement de son corps n'était plus resté qu'un léger sillon rapidement effacé. La boue l'avait avalé en moins de cinq secondes.

À l'issue d'une âpre négociation avec les gardiens du port – deux cents roupies pour chacun des trois fonctionnaires –, ils avaient obtenu l'autorisation de garer leur véhicule sur le quai de Dhakka Baucha. Ils avaient rangé la Maruti le long d'un entrepôt et s'étaient postés derrière un conteneur. Ils n'avaient pas eu à attendre longtemps, à peine une demi-heure, avant que la proue sombre du *Ganesh* ne crève les rideaux de brume tirés en permanence sur l'eau sale de la baie.

L'Indienne et son accompagnateur s'engagèrent sur la passerelle après avoir salué le capitaine du cargo, un petit homme sanglé dans un uniforme blanc qui semblait tout droit sorti de l'époque coloniale. La beauté de la fille, vêtue d'un sari et d'un choli verts, avait la puissance et la pureté d'une estampe. Rien à voir avec les charmes frelatés d'Ava-Joan. La tuer serait sans doute un crève-cœur, une faute de goût. L'homme, un Occidental métissé d'Asiatique, balayait les environs d'un regard soupçonneux. Avait-il subodoré leur présence à quelques mètres du bateau ?

« Attention au mec », murmura Mike.

Abel ricana.

« Il faut se méfier des types qui ont du sang jaune dans les veines, insista le métis. Je sais de quoi je parle.

— Je m'en occupe, si tu veux, proposa Abel.

— D'accord, mais sois discret. »

Abel leva de chaque côté de son visage ses mains aux doigts écartés, un geste qui signifiait qu'il n'avait pas l'intention d'utiliser son revolver. Trop bruyant, trop voyant. Les dockers ne leur prêtaient aucune attention, concentrés sur leur travail, ployant sous le poids des sacs et des cartons. Des senteurs capiteuses traversaient les odeurs lourdes d'essence et de transpiration.

En bas de la passerelle, l'homme et la femme restèrent quelques instants immobiles, aux aguets, avant de se diriger d'un pas rapide vers la sortie du quai. Dans moins de dix secondes, ils passeraient tout près du conteneur. Mike serra la crosse de son Beretta dans la poche de sa veste.

Mark saisit Indrani par le bras et la contraignit à s'immobiliser. Elle grimaça et l'interrogea du regard.

Il lui montra le conteneur posé à l'écart de l'agitation sur des palettes en bois. Il avait entrevu un mouvement derrière un recoin scintillant de la grande caisse métallique. À nouveau, un poids douloureux pesait sur ses épaules et sa nuque. Une voix intérieure l'implora de rebrousser chemin, de se mêler à la foule des dockers et des membres de l'équipage. Indrani le fixait d'un air indécis. Le soleil voilé commençait à décliner. Les ombres, à peine perceptibles, des ombres d'ombres, s'allongeaient sur les pavés.

« Mark, tu me fais mal… »

À peine Indrani avait-elle prononcé ces paroles qu'une silhouette jaillit de l'arrière du conteneur et fondit sur elle. Un éclat métallique brilla dans la main de l'homme, un métis au crâne rasé et vêtu d'un costume gris. Mark voulut se porter au secours de la jeune femme, mais un deuxième homme surgit de l'autre côté, un blond au costume clair, au visage de poupon et aux épaules de lutteur. Le métis posa son pistolet sur le ventre d'Indrani, la saisit par le poignet et la tira en direction d'un entrepôt. Mark n'eut pas le temps de s'interposer ni d'esquiver l'attaque du blond. Des doigts puissants se refermèrent sur sa gorge. Le choc le déséquilibra. Il s'effondra sur le dos. Son adversaire lui bondit dessus et pesa sur lui de tout son poids. Le souffle coupé, il chercha de l'air. Ses yeux se voilèrent de rouge. Les arêtes des pavés lui meurtrissaient la nuque, les omoplates, le bassin. Il apercevait, au-dessus des orifices serrés et sombres de ses narines, les yeux clairs, presque blancs, de son adversaire. Son souffle haletant et tiède lui effleurait le front.

Mark cessa de se débattre. Il obtint immédiatement ce qu'il recherchait : la pression des doigts sur son cou se relâcha. Pas beaucoup, mais suffisamment pour lui permettre de prendre une courte inspiration, de réoxygéner son cerveau. Des éclats de voix et des bruits de pas retentirent derrière lui. Galvanisé, il replia les jambes et, utilisant les techniques de la boxe thaï, frappa de ses genoux les côtes flottantes du blond. Ses premières tentatives lui permirent de desserrer l'étau. Il se sentit léger tout à coup. L'air afflua dans sa gorge dégagée et sous son crâne.

Des silhouettes gesticulantes et braillardes l'entourèrent, des dockers à la peau brune et aux muscles luisants. Ils l'aidèrent à se relever. Un coup de feu retentit, une balle percuta le montant métallique du conteneur. Des dockers baissèrent la tête, d'autres se jetèrent au sol. Mark vit, comme dans un brouillard, l'homme blond courir vers le bâtiment, lâcher une deuxième balle à l'aveuglette, bifurquer sur sa gauche et foncer vers un 4 × 4 de couleur grise stationné le long du mur.

Les dockers restèrent prudemment abrités derrière le conteneur. L'homme blond s'engouffra dans le 4 × 4, démarra aussitôt, effectua un demi-tour, accéléra et fonça tout droit vers la sortie de Dhakka Baucha.

Tout était fini. En moins d'une minute, les deux hommes avaient enlevé Indrani et récupéré le DVD de Jean Hébert. Leur intervention avait sans doute un rapport avec la disparition de Ramesh. Leur efficacité, leur sang-froid dénotaient une grande habitude des opérations commandos. La probabilité de revoir Indrani en vie était quasiment nulle.

Hébété, le cou encore douloureux, Mark fixa jusqu'au vertige le point clair du 4 × 4 qui louvoyait entre les camions, les rickshaws et les chariots élévateurs. Il s'élança soudain, traversant les rangs des dockers pétrifiés.

Rien n'était fini. Il longea l'entrepôt, accéléra l'allure, gagna peu à peu du terrain. Il n'avait pas l'habitude de courir – son emploi du temps ne lui laissait pas le temps de pratiquer le jogging, qu'il assimilait de surcroît à une torture inutile – et rapidement, son cœur s'emballa, ses poumons le tiraillèrent.

Le 4 × 4 sortit du périmètre de Dhakka Baucha et s'engagea sur un autre quai où un groupe de dockers s'affairaient au pied d'un tanker. Un chariot élévateur lui coupa la route. Il réussit à l'éviter au prix d'un brusque écart qui l'entraîna dans un tête-à-queue et le précipita contre un conteneur. Il faillit se renverser, se rétablit sur ses quatre roues, repartit après avoir percuté un bollard.

Mark, oubliant sa fatigue, se rapprocha encore. Les lumières clignotantes de voitures de police brillaient dans le lointain.

Le 4 × 4 bifurqua sur sa droite, se faufila entre deux hangars, sema la panique dans un groupe de marins. Les forces de Mark déclinaient, son cœur, comme un bec frénétique, lui martelait la cage thoracique et les tympans. Un semi-remorque surgit sur sa droite et le contraignit à se rencogner contre une cloison métallique. Il repéra le 4 × 4 au bout d'une allée enflammée par les rayons obliques du soleil. Au bord de l'évanouissement, il admit qu'il avait perdu toute chance de le rattraper.

Il avisa un camion bâché à l'arrêt dans une allée transversale. Une discussion animée opposait le chauffeur, un sikh coiffé d'un turban rouge, et un gros homme debout devant la portière ouverte. Leurs éclats de voix couvraient le ronronnement du moteur.

Accaparés par leur querelle, ils ne virent pas Mark ouvrir la portière opposée. C'est seulement lorsqu'il se fut hissé sur la banquette que le chauffeur se tourna vers lui, les sourcils froncés sous son turban.

« *I need your help*, dit Mark, hors d'haleine. *Quick… Thousand roupies for you if you can catch that car !* »

Une lueur s'alluma dans les yeux bruns du sikh arrondis par la surprise, la convoitise peut-être.

« *Show me the money first.* »

Mark sortit de sa poche la liasse de billets que lui avait donnée Fred à l'hôpital de Mangalore, la posa sur le tableau de bord.

« *Come on !*

— *You're the boss…* »

Le sikh referma la portière sans plus se soucier des vociférations du gros homme, enclencha la première et écrasa l'accélérateur. Le camion, un vieil Ashok Leyland, hoqueta avant de s'ébranler pesamment.

« *To the right !* cria Mark.

— *OK, OK, you're the boss.* »

Le sikh tourna à droite sans lever le pied de la pédale d'accélérateur et corrigea d'un coup de volant le léger dérapage du train arrière. Mark chercha le 4 × 4 des yeux, discerna un éclair gris dans le lointain. Le sikh jetait des regards intrigués sur le visage perlé de sueur et le cou cerclé de stries rouges de son passager. Le moteur ronflait plus fort qu'une vieille locomotive. Des secousses agitaient les guirlandes, les cadres et les images accrochées aux saillies du tableau de bord. Le camion prit peu à peu de la vitesse, mais Mark crut qu'une éternité s'était écoulée lorsqu'il atteignit l'extrémité de l'allée.

« *To the left !*

— *OK, OK.* »

Une voie perpendiculaire entre deux bâtiments. Toujours pas de 4 × 4. Mark se demanda s'il n'avait pas été victime d'une illusion d'optique. Il peinait à battre le rappel de ses pensées éparpillées par l'extrême violence de sa course. Sa chemisette et son jean imprégnés de sueur l'entravaient dans chacun de ses mouvements. Il faillit ordonner au sikh de rebrousser chemin, mais il resta agrippé à sa première impression. L'allée, assez courte, débouchait sur une sorte de place carrée traversée dans un sens par une voie ferrée et dans l'autre par une large route.

« *Now, mister ?* »

Mark regarda sur la droite. La remorque d'un poids lourd dissimulait en partie une file étirée de véhicules.

« *Mister ?* »

Une série de hoquets secoua l'Ashok Leyland pratiquement à l'arrêt. Un 4 × 4 gris effectua un brusque écart au milieu de la file.

« *Turn right ! Quick !* »

Le sikh obtempéra d'un hochement de tête empreint de fatalisme. Pour mille roupies, une somme qui représentait deux bons mois de travail, il pouvait bien supporter les caprices d'un Occidental qui ne paraissait pas jouir de toute sa raison. Il lui fallut deux minutes et un feu opportunément rouge pour opérer sa jonction avec le semi-remorque.

« *Pass it !* » ordonna Mark.

Le sikh amorça sa manœuvre de dépassement. Le coup de klaxon strident d'une voiture qui venait en face l'obligea à freiner et à se rabattre en catastrophe. Il parvint à doubler à sa troisième tentative, avala sur son élan un van Nissan et une Peugeot 309, resta un moment sur la voie de gauche. Mark aperçut enfin le

4 × 4 gris qui roulait à une allure modérée une trentaine de mètres devant eux.

« *Follow that car !*
— *The Maruti ? You're the boss.* »

Arjan, le chauffeur, fourrageait à tout propos dans
sa barbe noire et drue. Mark lui expliqua brièvement
les raisons qui l'avaient amené à réquisitionner son
camion et lui promit mille roupies supplémentaires s'il
réussissait à garder le contact avec la Maruti dans les
rues congestionnées de Mumbai. Le sikh devait livrer
ses fruits et légumes avant seize heures au marché de
gros de Kalbadevi – il serait en retard, comme souvent. Le camion lui appartenait – enfin, lui appartien-
drait lorsqu'il aurait fini de payer son crédit –, et le
gros homme avec lequel il s'était engueulé quelques
instants plus tôt était un associé – pas vraiment un
associé, un salopard qui profitait de son statut de fonc-
tionnaire du port pour prélever une partie de la car-
gaison et la revendre en direct dans les quartiers
friqués de la ville.

Ils étaient sortis du quartier des docks et avaient pris
la direction de Kamathipura, le « quartier des filles »,
avait précisé Arjan avec une lueur égrillarde dans le
regard. Mark n'avait pas encore récupéré de sa course
exténuante sur les quais. Il était parvenu à maintenir
le contact avec les ravisseurs d'Indrani, mais l'énergie
du désespoir ne suffirait sûrement pas à l'arracher de
leurs griffes. Le phare arrière fracassé de la Maruti
semait des éclats de verre. Elle resta un long moment
bloquée derrière un bus à impériale. Arjan sortit un
paquet de cigarettes d'une poche de sa tunique. Il
fumait les mêmes blondes écœurantes que celles de
Fred à Mangalore. Où était l'emmerdeur Cailloux à

cette heure-ci ? Dans l'avion ? Sur son lit d'hôpital ? Ils ne s'étaient quittés que depuis deux jours et pourtant, Mark aurait juré qu'un siècle s'était écoulé depuis leur séparation. De même, Indrani lui semblait n'avoir été qu'un rêve, une illusion, un souvenir enterré depuis des vies dans un recoin de sa mémoire. Le couple espace-temps était encore plus relatif que ne le prétendait Einstein – un ami de Samuel, lui aussi.

La foule débordait des trottoirs et se déversait dans les rues. Il leur fallut plus d'une heure pour s'extraire du quartier de Kamathipura. Ils passèrent devant la gare du Mumbai Central, longèrent la voie ferrée jusqu'à l'Hippodrome de Mahalaxmi et suivirent la direction des aéroports. À plusieurs reprises, les feux, les flics, les motos, les charrettes, les piétons, les vaches faillirent les couper définitivement de la Maruti, qu'ils rattrapèrent à la faveur d'un nouveau ralentissement ou d'une manœuvre audacieuse d'Arjan. Ils traversèrent les quartiers de Dadar et de Bandra, perdirent encore une heure sur le gigantesque pont de Mehim Creek, et pénétrèrent enfin au crépuscule dans le *jhuggy*, l'immense bidonville établi autour des aéroports de Santa Cruz et de Sahar.

Le soleil couchant teintait de rouille les baraques en tôle, en bois, en tissu qui s'entassaient à l'infini de chaque côté de la double voie. Des gosses ballonnés et rieurs jouaient dans l'eau croupie de mares à demi asséchées et cernées de bouches d'égout. Le linge qui pendait sur des fils de fer habillait de parures bigarrées le brun, l'ocre et le gris des matériaux. On apercevait parfois la silhouette immaculée d'une religieuse en sari blanc sur un tas d'immondices autour duquel grouillaient, comme des vers, des hommes, des femmes et des enfants en quête de nourriture. Ceux-là, se moquant des considérations démocratiques comme de leur premier haillon, constituaient une mèche idéale pour les artificiers du Dalit et des autres mouvements fanatiques.

À chaque fois que le trafic l'obligeait à s'immobiliser, Arjan se penchait par la vitre de sa portière et surveillait l'arrière de son camion. Il expliqua, dans son anglais approximatif, que les bandes d'enfants du bidonville avaient la sale manie de détrousser les automobilistes, les taxis et les camionneurs. La délinquance armée avait progressé de façon spectaculaire depuis quelques années dans le *jhuggy*. Depuis, en fait, que les terroristes du Dalit avaient distribué des armes et grimé le pillage en cause révolutionnaire, juste et sacrée. Le sikh ne tenait pas à se faire piquer ses fruits et à perdre ainsi le bénéfice d'une journée de travail.

Mark comprenait maintenant que les deux ravisseurs d'Indrani poursuivaient le même but que lui : réunir les deux moitiés des travaux de Jean Hébert, sans doute pour revendre le tout à une multinationale ou à un gouvernement. Ils épargneraient leur prisonnière tant qu'ils auraient besoin d'elle. Qu'y avait-il exactement dans le DVD et dans les ordinateurs du laboratoire clandestin du Dalit ? Le virus modifié d'Hébert renvoyait sans aucun doute à l'aspect destructeur de la déesse Kali, mais Indrani avait parlé d'une deuxième face.

La Maruti s'engagea sur une allée perpendiculaire qui piquait droit dans le *jhuggy*. Arjan refusa catégoriquement d'aller plus loin. Déjà, des ombres émergeaient de l'amoncellement de baraques et rôdaient autour de son camion. Le sikh ouvrit la boîte à gants et s'empara d'une vieille pétoire rouillée qui datait probablement de la Seconde Guerre mondiale.

« *Now, mister, give me my money !* »

Son ton était devenu menaçant. Mark vit qu'Arjan crevait de trouille et admit qu'il n'en tirerait plus rien. Il lui tendit la liasse de billets et n'attendit pas qu'il les eût comptés pour descendre.

L'odeur de putréfaction, terrible, lui submergea les narines. La moiteur elle-même semblait pétrie de misère et de crasse. À quelques mètres de lui, les yeux grands ouverts d'une fillette luisaient sur le clair-obscur. Il fut traversé par l'envie de se ruer dans le camion et de lui offrir quelques fruits. Il y renonça parce que cela ne changerait rien, parce qu'on ne pouvait résoudre un problème en créant un nouveau problème, combattre une injustice en provoquant une autre injustice. Au loin, le clignotant de la Maruti brillait dans l'obscurité naissante comme une balise de détresse. Le 4 × 4 tourna à gauche et sombra dans le désordre des baraques et du linge suspendu.

Le camion d'Arjan se fondit dans le trafic. Un sentiment de découragement étreignit Mark. Sa solitude prenait dans la rumeur du crépuscule une densité blessante, suffocante. L'ombre des mauvais jours étendait son empire sur l'ensemble du *jhuggy*. D'autres enfants tournaient autour de lui, curieux, farouches. La puanteur lui soulevait le cœur. Des lumières s'allumaient un peu partout, étoiles prématurées et chétives.

La petite fille s'avança vers lui et tendit la main en émettant un gémissement étudié qui trahissait, malgré son jeune âge, une longue expérience de la mendicité. Il fouilla ses poches : il n'avait plus une roupie, pas même une paisa sur lui. Il lui adressa un sourire navré puis, reprenant courage dans l'exemple de sa grand-mère, dont ni le temps ni les difficultés n'avaient altéré la formidable énergie, il marcha d'un pas rapide en direction de l'endroit où avait disparu la Maruti.

17

« Il faut être complètement dingue pour s'aventurer en pleine nuit dans le *jhuggy* ! »

Les yeux bleus de la religieuse, une femme d'une soixantaine d'années vêtue d'une robe et d'un voile blancs, fixaient Mark avec sévérité.

« Vous y êtes bien, vous ! » répliqua Mark.

Elle leva les bras au ciel et prit à témoin la vingtaine d'enfants de tous âges qui l'escortaient.

« J'y ai passé près de quarante ans. Je les connais et ils me connaissent. »

Une lampe à huile dispensait un éclairage tremblotant qui dorait les joues des enfants et la tôle ondulée des cloisons. La baraque servait à la fois de dispensaire, d'orphelinat et de chapelle. Un grand réchaud à gaz trônait au milieu de la pièce comme un autel. La terre battue encore gorgée des pluies de mousson avait la consistance d'une boue collante. La religieuse invita Mark à s'asseoir dans un canapé défoncé et versa du tchai dans une tasse en argile qu'elle lui tendit.

« Je suppose en ce cas que vous êtes au courant de tout ce qui s'y passe », dit-il.

La religieuse s'assit dans un autre fauteuil, défoncé lui aussi. Tout en buvant une gorgée de thé bouillant, elle désigna le cercle des enfants d'un ample geste du bras.

« J'ai été informée de votre présence à peine trois minutes après que vous êtes descendu du camion. Je leur ai demandé de vous conduire ici avant qu'une bande ne vous tombe dessus et ne vous coupe en petits morceaux. Le trafic d'organes est l'un des plus rentables dans le bidonville. »

Elle saisit une fillette de quatre ou cinq ans par le bras et la tira sous la lampe à huile : une de ses orbites était vide sous la masse ébouriffée de ses cheveux.

« Son frère aîné a vendu l'œil de Chandri pour une misérable poignée de roupies. Ce n'est qu'un exemple parmi tant d'autres. Le dernier cri, ce sont les testicules des jeunes gens et les ovaires des jeunes filles. Les Occidentaux et les Arabes du Golfe sont prêts à toutes les monstruosités pour prolonger leur jeunesse. »

Le goût âpre du tchai plissa les yeux de Mark. Quelques instants plus tôt, les enfants l'avaient encerclé dans une allée du *jhuggy*. La plus grande des filles, une adolescente de douze ou treize ans, lui avait dit, dans un anglais hésitant, qu'une certaine sœur Marie désirait lui parler.

« Vous les avez recueillis ?

— Dieu est un sacré farceur ! Pardon, mon Dieu, un Farceur Sacré… J'ai choisi la voie du célibat mais il m'a donné une famille nombreuse bien que je n'aie jamais approché d'homme. Toutes proportions gardées, j'illustre moi aussi le concept de l'Immaculée Conception. J'ai bien mérité du nom de Marie. »

Elle éclata de rire. Sa bonne humeur et la chaleur du tchai se conjuguaient pour redonner de l'énergie à Mark. Il avait cru se perdre dans le labyrinthe du bidonville, où toutes les allées et les constructions se ressemblaient, où les carrefours n'étaient rien d'autre que des décharges à ciel ouvert, où les rigoles transformaient certains passages en rivières d'excréments et de boue.

« Comment subvenez-vous à leurs besoins ? L'Église vous finance ? »

Nouvel éclat de rire de sœur Marie, teinté d'amertume celui-là.

« L'Église ? Rome a depuis longtemps renié ses pauvres servantes. Nous n'attendons rien non plus du gouvernement de Delhi ou du Shiv Sena, le parti régionaliste marathi majoritaire au conseil municipal de Mumbai. Nous nous efforçons de nous suffire à nous-mêmes : les plus grands trient les ordures, récupèrent ce qui peut être récupéré, revendent ce qui peut être revendu. Les plus petits m'aident à donner les soins et grappillent de la nourriture par-ci par-là. J'interdis la mendicité, mais je tolère une certaine… disons… liberté avec les lois sur la propriété.

— Est-ce qu'ils ne finiront pas par rejoindre tôt ou tard les rangs du Dalit ? »

Les yeux de la religieuse s'assombrirent. Si son visage avait conservé une certaine fraîcheur, ses mains flétries, crevassées, criblées de taches brunes, semblaient avoir traversé pendant plusieurs vies.

« Qui pourrait le leur reprocher ? Ils sont de plus en plus nombreux, et le Dalit est la seule lumière dans leur nuit. Ils s'y brûleront les ailes, mais la force de la parole, catholique, hindoue ou musulmane, ne leur suffit plus. Moi-même, j'ai parfois envie de les armer et de les entraîner vers les quartiers luxueux de Malabar Hill. Ils meurent par centaines dans mes bras. La faim, la soif, les épidémies… Je n'ai pas comme eux la notion du Karma, et je me mets de plus en plus souvent en colère contre Dieu.

— Avez-vous entendu parler du laboratoire du Dalit ? »

Sœur Marie se leva et se servit une deuxième tasse de tchai.

« Ce n'est pas qu'un simple laboratoire, dit-elle en se retournant. Mais le quartier général des Intouchables et leur dépôt d'armes.

— Vous savez où il se trouve ?

— Pas exactement… » Elle entoura de son bras les épaules de la fillette borgne. « Mais les enfants, sûrement.

— Est-ce qu'ils peuvent m'y conduire ? »

La religieuse l'examina avec une attention aiguisée, tranchante, comme pour ouvrir une fenêtre sur son esprit.

« Je ne sais pas qui vous êtes, ni ce que vous venez chercher dans le *jhuggy*… »

Mark lui expliqua brièvement les raisons de sa présence en Inde, insistant sur le danger que représentait le virus de Jean Hébert pour l'humanité.

« Qu'est-ce qui a poussé cet homme à concevoir une telle abomination ? demanda-t-elle après un long moment de silence.

— Une partie de la réponse à cette question se trouve probablement à l'intérieur du laboratoire du Dalit.

— Et vous ? Dans quel but voulez-vous la récupérer ?

— Pour la mettre en lieu sûr.

— Aucun lieu n'est sûr à cent pour cent. La seule solution, si vous ne voulez pas que cette… saloperie déclenche une catastrophe, c'est de la détruire. Définitivement. »

Elle avait raison : les hommes ne se montreraient pas plus raisonnables avec la biotechnologie qu'ils ne l'avaient été avec l'atome. Les vieux démons s'habillaient en permanence de nouveaux désirs, de nouvelles technologies.

« Avant de la détruire, il faut la retrouver, murmura-t-il.

— Le Dalit mettra le *jhuggy* à feu et à sang.

— C'est la terre entière qu'il projette de mettre à feu et à sang !

— Vous me demandez… » Elle désigna les enfants. « Vous leur demandez de nouveaux sacrifices. Combien d'entre eux devront être immolés avant qu'on les reconnaisse enfin comme des êtres humains ? »

Les vertèbres de la sentinelle craquèrent comme du bois mort.

Même si le *jhuggy* s'était considérablement agrandi en quatre ans, Indrani n'avait marqué aucune hésitation pour retrouver l'entrée du laboratoire, une baraque en tôle identique aux milliers d'autres qui bordaient les allées étroites et boueuses. Les deux Américains avaient retiré leurs costumes pour s'affubler de haillons. Abel avait dissimulé ses cheveux sous un large pan d'étoffe. L'étroitesse des allées et la densité de la foule les avaient contraints à abandonner la Maruti. À peine étaient-ils descendus qu'une armée d'ombres avait surgi de la nuit et s'était abattue comme une nuée de charognards sur le véhicule. Ils avaient marché pendant deux bons kilomètres, traversant des mares puantes, escaladant des tas d'immondices, fendant des attroupements de jeunes gens aux regards assombris par le crack. Le métis s'était arrangé pour garder le canon de son arme, muni d'un silencieux, enfoncé dans le flanc d'Indrani.

Bien que plusieurs occasions se fussent présentées, elle n'avait pas cherché à leur échapper. D'abord, le métis lui avait pris le DVD à l'issue d'une fouille humiliante. Ensuite, c'étaient des mercenaires, des tueurs, des hommes probablement plus qualifiés que Mark pour l'aider à pénétrer dans le laboratoire des Intouchables. Lorsqu'elle aurait rassemblé les deux moitiés de Kali, elle aurait un petit quart d'heure pour leur échapper et s'éloigner de la zone des opérations.

Elle regrettait l'absence de Mark. Elle était parvenue jusqu'au bout à résister à la tentation de lui dévoiler la vérité, mais elle avait trahi pour lui son serment de *devanasi*, ce devoir sacré qui lui commandait de ne pas s'attacher à un homme. Elle l'avait vu courir derrière la Maruti sur le quai de Dhakka Baucha. Elle avait ressenti un tel déchirement lorsque sa longue silhouette n'était devenue qu'un point minuscule à l'autre bout de la route qu'un gémissement s'était échappé de ses lèvres. Il ne saurait jamais à quel point elle l'avait aimé ; c'était sans doute mieux comme ça.

Le cadavre de la sentinelle glissa silencieusement sur le sol. Abel le tira hors du halo mouvant de la lampe à huile suspendue sur un fil. Les femmes qui bavardaient quelques mètres plus loin, des musulmanes vêtues de burkha, ne leur prêtaient aucune attention.

« Il n'y a qu'un garde ? » demanda Mike à voix basse.

Il frappa les côtes d'Indrani du canon de son arme pour appuyer sa question.

« Un seul à l'extérieur, répondit-elle en grimaçant. Mais une dizaine à l'intérieur. Sans doute armés de kalachnikovs. »

Un homme sortit de la baraque pour fumer. La flamme de l'allumette éclaira pendant quelques secondes ses arcades sourcilières et ses pommettes. Il tira une longue bouffée de sa cigarette, puis parut brusquement se rendre compte de l'absence de la sentinelle et s'avança de quelques pas en direction d'Indrani et des deux Américains. Il grommela quelques mots, plongea la main dans l'échancrure de sa chemise. Il n'eut pas le temps de tirer son arme. Le Beretta de Mike avait craché en silence. La balle l'avait frappé entre les yeux, juste au-dessus de la barre des sourcils. La stupeur le maintint debout pendant une poignée de secondes, puis il s'affaissa sans proférer une plainte.

« Planque-les », ordonna Mike.

Abel traîna les deux cadavres dans une venelle entre deux baraques et les recouvrit d'une plaque de tôle ondulée qui traînait dans la boue. Un groupe de femmes et d'enfants traversa l'allée. Mike colla Indrani contre lui et garda la tête baissée jusqu'à ce que la nuit eût absorbé les passants. La puanteur lui tapait sur les nerfs. La fille lui faisait un drôle d'effet. Rien à voir avec l'espèce d'irritation acide que soulevait en lui Ava-Joan. Ça ressemblait plutôt à un engourdissement sournois, à un envoûtement. Cette Indienne avait un truc, un charme, comme ces vieilles adeptes du vaudou qui passaient leur temps à jeter des sorts dans des pièces sombres et enfumées du Bronx. Il lui tardait maintenant de lui loger une balle dans le crâne, de briser l'enchantement. Il ne supportait pas l'irruption de l'irrationnel dans les affaires.

Délaissant son .454 Casull, Abel se munit de sa deuxième arme, un Ruger P85 auquel il vissa un silencieux, et s'approcha à pas lents de l'entrée de la baraque, suivi de Mike et d'Indrani.

Quatre hommes dans la première pièce. Assis sur des tabourets autour d'une table en fer, ils jouaient aux cartes à la lueur d'une lampe, leurs armes, des fusils d'assaut AK 47, posées sur leurs genoux. Ils ne réagirent pas lorsque Abel fit son apparition, la tête entièrement dissimulée par le pan de tissu. L'un d'eux éclata de rire, un autre apostropha l'intrus d'une voix rude. Ils entrevirent, trop tard, l'éclat d'un pistolet entre les hardes crasseuses.

Les enfants progressaient sans aucune hésitation dans le labyrinthe du *jhuggy*. Mark et sœur Marie se tenaient au milieu de la colonne. Avant de se mettre en route, la religieuse s'était éclipsée pendant quelques instants dans l'une des pièces du dispensaire. À son retour, elle avait tendu un vieux Colt .45 à Mark.

« Il est chargé. En cas de besoin, vous saurez mieux vous en servir que moi.

— Je ne suis pas un spécialiste des armes, avait-il objecté.

— Prenez-le. Je suis tellement soupe au lait que je risque de perpétrer un massacre.

— Je croyais que le Christ recommandait à ses disciples de tendre la joue gauche…

— La mienne a déjà reçu trop de claques. »

Il avait saisi l'arme, vérifié que le cran de sûreté était verrouillé, l'avait glissée dans la ceinture de son jean et avait rabattu un pan de sa chemise sur la crosse.

Des scènes oniriques se découpaient dans les bulles de lumière, comme autant de rêves dérobés aux dormeurs. Ici, une *puja* se déroulait dans un amas de tissu et de bois transformé en temple, là, un homme maltraitait une femme sous les yeux d'enfants terrorisés, là encore, une gamine au maquillage outrancier faisait le tapin au croisement de deux allées, deux vieilles femmes accroupies consultaient un astrologue assis en tailleur sous un immense parapluie noir, des bandes d'adolescents agglutinés autour d'un poste de radio dansaient au son d'une musique techno, un cadavre achevait de se consumer sur un bûcher en répandant une forte odeur de viande grillée... Mark croyait se promener dans une ville renversée par un tremblement de terre. Les activités étaient les mêmes que dans n'importe quelle agglomération indienne, mais la précarité, la promiscuité en accentuaient l'aspect incongru, dérisoire. Les habitants du *jhuggy* avaient pourtant besoin, comme les autres, peut-être davantage que les autres, de se raccrocher à des rituels.

Mark palpait de temps à autre, au travers de sa chemise, la crosse du Colt .45. Sœur Marie se retournait régulièrement pour lui lancer un regard d'encouragement. Elle avait tenu à se joindre à l'expédition. Elle n'avait pas grand-chose en commun avec les religieuses qu'il avait rencontrées dans les différents pays où l'avaient conduit ses enquêtes. Elle œuvrait seule, contrairement à ses consœurs, et sa colère, nourrie par des années de lutte inutile, l'entraînait à renier les principes fondateurs de sa religion, à s'aventurer de plus en plus souvent sur les pentes de l'illégalité. Comme Mark, avec ce flingue, reniait lui-même ses principes non violents – quelle idée de revendiquer la non-violence quand on s'appelait Sidzik !

Les plus âgés des enfants avaient obligé les plus jeunes à rester au dispensaire. Ils avaient hésité lorsque sœur Marie leur avait exposé la requête de Mark. Ils s'étaient réunis dans une pièce et leurs éclats de voix, parfois étouffés, parfois suraigus, avaient témoigné de l'âpreté de leur discussion. Dix minutes plus tard, ils étaient revenus dans la pièce d'entrée et avaient déclaré qu'ils acceptaient de conduire l'*angrezi* au repaire des Intouchables. Il leur en coûtait de trahir des habitants du *jhuggy*, mais les hommes du Dalit se comportaient comme des démons, enlevaient les filles pour en faire leurs esclaves, tuaient les pères ou les frères qui protestaient, obligeaient les garçons à travailler pour eux… Leur gravité, leur maturité avaient surpris Mark. Les plus vieux n'avaient pas dépassé les treize ans, mais la nécessité de se battre chaque jour pour survivre les avait déjà transformés en adultes.

Ils avançaient en file indienne, s'assurant, par de brefs coups d'œil en arrière, que l'*angrezi* et sœur Marie gardaient le contact. Ils évitaient les passages boueux en coupant par l'intérieur des baraques sans se soucier de leurs occupants, contournaient des tas d'immondices que des enfants de quatre ou cinq ans avaient transformés en terrains de jeu. Aucune étoile ne brillait dans les ténèbres indéchiffrables. Mark suspendait parfois sa respiration pour ne pas inhaler la puanteur, insoutenable par endroits. Des éclats de disputes, de bagarres, entrecoupaient les flots sonores des radios, des télévisions ou des ordinateurs alimentés par des groupes électrogènes.

« Le Dalit a acheté leur complicité en leur offrant ces groupes électrogènes et en leur distribuant des vivres, fit sœur Marie. Les chiens ne mordent pas les mains qui les nourrissent. Mais un jour ils se révolteront. Quand ils en auront assez de voir leurs filles violées et leurs fils assassinés. »

Mark aurait été incapable d'évaluer le nombre de kilomètres parcourus depuis le dispensaire. Les seuls repères, les tours ultramodernes des palaces cinq étoiles dont les néons claquaient comme des insultes à la face des habitants du bidonville, semblaient se reculer à mesure qu'ils s'en rapprochaient. Dans les allées les plus larges, des grappes compactes se pressaient devant les étals éclairés des épiceries où quelques légumes, vendus à des tarifs prohibitifs, pourrissaient dans des cageots.

« Personne ne cherche à leur piquer leurs marchandises ? s'étonna Mark.

— Avant, ils étaient sous la protection des caïds de la pègre, répondit la religieuse. Ils sont maintenant sous celle du Dalit. Les enfants m'ont dit que ces boutiques servaient de plaques tournantes aux trafics de drogue, d'alcool et d'organes. Ça doit faire plus de vingt ans que les flics n'ont pas mis les pieds dans le *jhuggy*. »

Ils marchèrent encore un bon quart d'heure avant d'être cernés, dans une zone sombre, par une bande d'adolescents aux crânes rasés et aux torses criblés de tatouages. Les enfants se serrèrent les uns contre les autres et, du regard, invitèrent sœur Marie à prendre les choses en main. La religieuse s'avança vers les adolescents, les interpella d'une voix forte, ne récolta qu'une bordée de ricanements, de quolibets et de gestes obscènes.

« C'est quoi, le problème ? s'impatienta Mark.

— Ils ne sont pas du *jhuggy*, mais d'un autre quartier. Ces petits cons se disent aryens, comme les nazis. Ils viennent ici pour se faire les poings et les dents sur les gosses. Ils savent qu'ils ne seront jamais poursuivis, jamais inquiétés. »

Mark les observa. Ils étaient une trentaine, dont cinq ou six filles habillées de jeans et de choli en cuir. Ils ressemblaient à tous les skinheads du monde avec leur crâne luisant, leurs regards embrumés d'alcool et leurs tatouages ridicules.

« Dites-leur de nous laisser passer », marmonna-t-il sans les quitter des yeux.

La religieuse traduisit ses paroles, mais ils ne bougèrent pas. L'un d'eux, un garçon de dix-sept ou dix-huit ans au ventre graisseux, lâcha quelques mots en dardant sur Mark un regard haineux.

« Il n'aime pas les *angrezi*, les étrangers, dit sœur Marie.

— C'est leur chef ?

— Sans doute. »

Mark franchit d'un pas mesuré les trois mètres qui le séparaient du skinhead. Ce dernier ricana, plongea la main dans la poche de son pantalon, en dégagea un rasoir dont il déplia la lame. Mark empoigna le Colt .45, déverrouilla le cran de sûreté et le leva sur son vis-à-vis.

« Dites-lui maintenant de lâcher son joujou et de dégager le passage. Tout de suite. »

Le skinhead blêmit et sa troupe recula de deux pas. La voix forte de la religieuse prit une résonance solennelle dans le silence oppressant. Le skinhead resta immobile, défiant Mark du regard. Il n'admettait pas d'être ridiculisé devant sa bande. Il ne comprendrait qu'un langage, celui de la force. Alors, de sa main libre, Mark lui happa le poignet, le tira brusquement vers lui et lui posa le canon du Colt sur la tempe.

« *Put this fucking razor down !* »

Le skinhead ouvrit les doigts et laissa tomber le rasoir. Du pied, Mark lui frappa le défaut du genou et l'obligea à s'agenouiller tout en lui tordant le bras et en maintenant le canon du pistolet sur sa tempe.

« Qu'il ordonne à sa bande de foutre le camp ! »

Sœur Marie s'adressa directement aux autres. Après quelques secondes d'hésitation, ils finirent par s'évanouir dans la nuit. Mark ramassa le rasoir et en promena la lame sur la nuque du jeune Indien, qui se contracta et se mit à trembler au contact du fer effilé.

« Laissez-le, intervint la religieuse. Il va finir par pisser dans son froc. Il ne reviendra pas dans le *jhuggy* de sitôt. »

Mark le releva et le poussa d'une violente bourrade dans l'allée. Le skinhead fila sans demander son reste. Pétrifiés, les enfants ne bougèrent pas avant que les ténèbres aient avalé sa lourde silhouette.

« Je ne sais pas si j'ai bien fait de vous confier cette arme, murmura sœur Marie avec un sourire pâle. Vous aviez une drôle de bobine quand vous le teniez au bout du rasoir. La tête d'un homme prêt à faire mal. À tuer.

— Je suppose que je ne suis pas meilleur que les autres, dit-il en fixant la lame scintillante.

— Mais vous pensez l'être, c'est ce qui vous pousse à vouloir reprendre cette arme biotechnologique aux Intouchables.

— Pas facile de savoir pourquoi on est d'un côté ou de l'autre… »

Non, pensa-t-il simultanément, pas facile d'être un Sidzik.

Des écrans de contrôle scintillaient dans le hall d'entrée de la salle souterraine construite avec les mêmes matériaux que les abris antiatomiques. Indrani se souvenait qu'elle s'étendait sur plus de cinq cents mètres carrés et comportait, outre le laboratoire proprement dit, une trentaine de chambres, une dizaine de sanitaires, une cuisine et une salle à manger. Affalé sur une chaise, un gardien piquait du nez devant les écrans de contrôle qui surplombaient une porte blindée. Une chance : il aurait dû voir les trois intrus s'introduire comme des fauves dans les pièces du haut. Massacrer ses dix frères avec une précision et un sang-froid terrifiants. S'introduire par la trappe dont on avait négligé depuis longtemps de réactiver le code. Dévaler les marches de l'escalier qui s'enfonçait en colimaçon sur une vingtaine de mètres. Éliminer les deux sentinelles du palier intermédiaire avec une facilité déconcertante.

Le contact de l'acier sur son front le tira brutalement de son sommeil. Il comprit aussitôt qu'il n'avait pas œuvré au mieux des intérêts du Dalit. Il voulut lancer le bras vers la kalachnikov posée sur une table basse à proximité de la chaise, mais il s'aperçut que l'un des deux hommes avait déjà ramassé l'arme.

« Ne le tuez pas », murmura Indrani.

Elle désigna le digicode de la porte blindée.

« Il connaît sans doute les codes d'accès à la salle du laboratoire. »

Mike jeta un regard de biais à la jeune femme.

« Curieux : on dirait que vous cherchez à nous faciliter la tâche.

— Vous voulez la même chose que moi, non ? »

Le métis la gifla avec une telle soudaineté, une telle violence qu'elle alla percuter une cloison métallique et que sa bouche s'emplit d'un goût de sang.

« Pas d'entourloupe, ma belle. Tu réunis les deux parties du dossier *Kali* et tu nous le donnes. Continue à collaborer, et tout se passera bien. »

Elle ravala ses larmes et hocha la tête. Elle n'avait plus qu'un geste à faire pour que la suite des événements ne se déroule pas exactement selon les prévisions de ces deux charognards. Elle s'adressa au gardien en hindi, puis, comme il ne semblait pas comprendre, en marathi.

L'Intouchable refusa de donner les codes d'accès et se mit tout à coup à hurler. Abel le fit taire d'un coup de crosse sur le sommet du crâne. Il s'affaissa sur la chaise, la tempe et la joue en sang.

Ils n'eurent pas besoin de le ranimer. Des cliquetis retentirent dans le silence épais de la salle souterraine. La porte blindée s'ouvrit et livra passage à deux hommes, un Indien portant barbe et lunettes, un Occidental aux cheveux blancs et aux yeux clairs. Ils se turent et s'immobilisèrent lorsqu'ils découvrirent le gardien effondré sur sa chaise. Abel se plaça de manière à leur couper toute retraite et, du pied, empêcha la porte de se refermer.

« On ne bouge plus », glapit Mike.

Il s'approcha des deux hommes, les fouilla rapidement, récupéra un pistolet dans la poche intérieure de la veste de l'Occidental. Indrani dispersa ses doutes : elle aidait deux scorpions à s'introduire dans le laboratoire, deux scorpions qui risquaient de foutre en l'air le projet peaufiné depuis plus de cinq ans par les services secrets indiens. Il lui fallait s'adapter aux circonstances et aux hommes, comme elle l'avait toujours fait, dans l'armée clandestine du Dalit, dans le temple secret des Himalaya, dans les rangs des services secrets. Une façon comme une autre de transcender les limites individuelles, de dissoudre les remords, de se fondre dans un ordre plus vaste. Elle avait expérimenté cette perte magnifique du soi avec Mark dans les Ghats, elle avait frôlé l'éternité.

« Qui êtes-vous ? demanda l'Occidental dans un anglais fortement teinté d'accent slave.

— Peu importe, répondit Mike. Un seul geste, un seul cri, et vous êtes morts.

— Et vous, pauvres imbéciles, vous croyez sans doute sortir vivants d'ici ! Des centaines d'Intouchables…

— Bouclez-la ! »

Indrani reconnaissait l'Indien à lunettes, Abgai Mareswi, l'un des plus brillants biologistes de sa génération, un Parsi qui avait épousé la cause du Dalit en 1997. Il l'avait également reconnue, braquant sur elle ses grands yeux noirs où poudroyaient des éclats de colère. Ses traits s'étaient creusés en cinq ans, desséchés par le fanatisme. Le revoir ne suscitait aucun émoi chez Indrani. Elle aurait pu devenir, comme lui, une enveloppe de chair vidée de son humanité et hantée par les dogmes.

« Tout le monde dans le labo », ordonna Mike.

Abel exécuta le gardien d'une balle dans la nuque avec une froideur qui horrifia Indrani. Ils passèrent dans un couloir abondamment éclairé par des spots encastrés dans le plafond. Le bourdon grave d'un générateur électrique dominait le grésillement des néons et les éclats de voix. La porte blindée se referma dans un claquement sec. À droite, une dizaine de portes en bois donnaient sur les chambres, la cuisine et le réfectoire. À gauche, se succédaient le magasin d'armes, la réserve de fournitures et le laboratoire proprement dit, fermés par des sas métalliques. Des gamines de quinze ou seize ans vêtues de burkha et munies de cabas firent leur apparition dans le couloir. Elles s'écartèrent pour laisser passer le petit groupe, les yeux baissés. Indrani avait quitté le mouvement juste avant que les Intouchables, poussés par Ranjibar, ne commencent à recruter des esclaves domestiques et sexuelles parmi les adolescentes du *jhuggy*. Elles n'étaient que des ombres, des créatures qu'on jetait dans les bordels quand les viols quotidiens avaient flétri leur jeunesse. Elles ne donneraient pas l'alerte.

Abgai Mareswi rechigna à composer le code d'accès au laboratoire, mais, dès qu'Abel commença à maltraiter le vieux biologiste occidental, il se hâta de saisir la combinaison sur le clavier lumineux inséré dans le mur.

Il n'y avait personne dans l'immense salle où une vingtaine d'écrans plats dispensaient un éclairage bleuté et changeant. Ce qu'on appelait le laboratoire était essentiellement une salle informatique. On distinguait bien quelques microscopes, quelques échantillons, quelques bouillons de culture, quelques armoires réfrigérées sur des tables ou sur des étagères, mais l'encodage informatique, le stockage et le traitement des informations constituaient l'activité principale des lieux. L'informatique avait radicalement transformé la biologie en une vingtaine d'années. Les laboratoires vaguement nauséeux où flânait une odeur persistante de formol étaient devenus des sanctuaires de haute technologie où les particules se combinaient aux unités d'information pour construire l'ère biotech.

« À vous de jouer. »

Mike tendit le DVD à Indrani. Elle s'en empara, chercha un lecteur, en trouva un sous un moniteur. Elle s'assit sur la chaise pivotante et inséra le disque dans la fente du lecteur. Des chiffres, des formules défilèrent aussitôt sur l'écran. Elle cessa de respirer. Si Jean Hébert ne s'était pas trompé, elle aurait, dans quelques minutes, la clef de l'invention la plus extraordinaire depuis la découverte du feu.

18

Le Colt en main, Mark se faufila à l'intérieur de la baraque.

« Mon Dieu… »

Sœur Marie, entrée sur ses talons, enfourna un coin de son voile dans sa bouche. Quatre cadavres gisaient sur la terre molle. Des essaims de mouches butinaient les plaies et les flaques de sang. La religieuse avait ordonné aux enfants de retourner immédiatement au dispensaire. Ils n'avaient pas protesté, mais Mark avait deviné, à leur expression farouche, qu'ils ne lui obéiraient pas.

Mark et sœur Marie trouvèrent encore six cadavres dans les pièces suivantes. Les Intouchables n'avaient visiblement pas eu le temps de réagir. Certains d'entre eux, allongés sur des lits de camp, avaient été surpris dans leur sommeil. Les odeurs de sang et de poudre masquaient en partie la puanteur qui venait des toilettes dissimulées par un vieux paravent. Mark se demanda s'il ne devait pas s'équiper d'une kalachnikov. Il y renonça finalement : sa méconnaissance des armes risquait de rendre un fusil d'assaut plus encombrant qu'utile. Il découvrit, dans la dernière pièce, une trappe au couvercle relevé. Elle donnait sur un escalier tournant, éclairé par une lumière qui fusait des entrailles de la terre.

Un sifflement prolongé incisa le silence.

« Les enfants ! souffla sœur Marie. Ils ne sont pas… ils nous préviennent d'un danger. »

Des bruits de pas, des exclamations retentirent dans les autres pièces. Mark tira la religieuse par le bras dans une zone d'ombre, derrière un fauteuil en rotin, la força à se baisser et s'accroupit à ses côtés. Ils devinèrent que les nouveaux arrivants se scindaient en deux groupes, l'un qui s'éloignait, sans doute pour chercher du renfort, l'autre qui se rapprochait. L'index de Mark se crispa sur la détente du Colt. Il n'avait encore jamais été placé dans l'obligation d'abattre un homme, et, contrairement à ce qu'avait affirmé sœur Marie quelques minutes plus tôt, il n'était pas certain d'avoir l'instinct du tueur, même si sa propre vie en dépendait. La religieuse soufflait comme une locomotive. Il respirait l'odeur grise de sa peur.

Deux hommes s'engouffrèrent dans la pièce, le regard fou, le fusil d'assaut tendu à bout de bras. L'œil d'une kalachnikov se braqua un long moment sur le fauteuil en rotin. À l'issue d'un bref conciliabule, les deux Intouchables disparurent par la trappe. Mark perçut les crissements de leurs semelles sur les marches de l'escalier.

« Et maintenant ? chuchota sœur Marie.

— Je descends…

— Vous êtes marteau. Ils sont peut-être des dizaines là-dessous.

— Je n'ai pas le choix. Vous devriez retourner tout de suite au dispensaire.

— Je ne peux pas vous laisser seul avec ces enragés.

— C'est un ordre, ma sœur. Vos enfants ont besoin de vous. »

Le regard de la religieuse lui incendia la joue.

« Et vous, vous n'avez pas de famille ?

— Une grand-mère. D'ailleurs, vous lui ressemblez par certains côtés. Fichez le camp avant que les autres ne reviennent. »

Elle acquiesça d'un clignement de cils, lui effleura la main d'un geste tendre, se releva et s'éloigna sans se retourner. Mark resta pendant quelques secondes à l'écoute de son pas avant de s'engager dans l'escalier.

« Tu cherches à nous doubler, hein ? »

Les yeux brouillés de larmes, Indrani fixait la main du blond levée à vingt centimètres de sa tête.

« Je vous jure, répéta-t-elle d'une voix tremblante. Le DVD est… vide. Vide ! »

Dans un même mouvement, les deux Américains, Abgai Mareswi et le Russe se penchèrent sur l'écran.

« Inutile de la frapper, fit le Russe. Il n'y a vraiment rien sur ce DVD. Jean Hébert ne lui a fourni que du vent. »

Mike se contint pour ne pas abattre sur-le-champ la fille et les deux biologistes.

« À nous il a livré un truc indéchiffrable, poursuivit le Russe avec une moue de dépit. Je pense qu'il n'a pas réussi à mener jusqu'au bout ses recherches. Il a roulé tout le monde dans cette affaire. Quinze ou vingt ans de travail foutus en l'air… »

Soixante millions de dollars viennent de s'envoler en fumée, songea Mike. Baisés sur toute la ligne par un biologiste gâteux. À moins que… Il y avait peut-être un peu de fric à glaner dans ce laboratoire. Les techniciens de ProTech pourraient sûrement exploiter d'une manière ou d'une autre quelques-unes des données stockées dans la mémoire centrale du système.

« Transfère tout le contenu du disque sur le DVD », ordonna-t-il à Indrani.

Elle se heurta au code confidentiel réclamé par le logiciel. Mike dévisagea tour à tour les deux biologistes.

« Ces messieurs se feront sûrement un plaisir de nous le fournir… »

Aucun des deux ne bougea. Le métis tira une balle dans le genou du Russe, qui s'effondra sur le carrelage en poussant un hurlement.

« La prochaine sera pour l'autre genou, la troisième pour le bas-ventre.

— Vous êtes fou ! cria l'Indien. Vous savez qui est cet homme ? Vassili Evchenko, l'un des plus grands esprits de…

— Si vous ne nous donnez pas immédiatement ce code, votre grand esprit ne pourra bientôt plus marcher ni fabriquer de spermatozoïdes. »

Abgai Mareswi lança un regard meurtrier à Mike, puis il se dirigea d'un pas rageur vers le bureau où était assise Indrani, se pencha sur le clavier et saisit le code.

Il fallut à peine vingt minutes à la jeune femme pour transférer les dossiers du disque dur sur le DVD. Contrairement au biologiste russe, elle restait persuadée que Jean Hébert était parvenu au bout de sa longue quête. Il n'avait sans doute pas concrétisé le cauchemar de la Kali destructrice, mais il avait réalisé le rêve de la Kali régénératrice et entraîné les services secrets indiens, les Intouchables et les mercenaires occidentaux sur une fausse piste. Tout en surveillant les opérations de copie, elle se demandait à qui Jean avait bien pu confier le véritable DVD. Il n'avait jamais eu confiance dans son entourage proche, pas même en elle, qui partageait pourtant sa couche, qui le res- suscitait chaque nuit avec son attention et son savoir- faire de *devanasi*.

Elle se souvint soudain de la visite de la vieille dame, une amie, une Française qui avait passé trois jours à Bangalore. Jean Hébert avait exigé de quitter sa cachette de Radnapoor pour aller la saluer à son hôtel. On les avait surveillés, mais pas avec le même zèle que de coutume, parce qu'en principe, on ne confie pas des secrets d'une telle importance à une vieille femme en apparence inoffensive. On avait sans doute eu tort : Jean était allé chercher dans son passé la confiance qu'il n'avait pas trouvée dans le présent.

Le message de fin de copie s'afficha sur l'écran. Restait à Indrani à donner le signal de la deuxième phase de la mission. Lors de la fouille pourtant méti- culeuse effectuée par le métis, il n'avait pas découvert l'appareil électronique souple cousu dans une partie renforcée de son choli.

Mike tendit la main.

« Donne-moi ce DVD. »

Indrani fixa jusqu'au vertige la bouche ronde du pis- tolet. Il l'exécuterait dès qu'elle lui aurait remis le dis- que. Quatre mètres plus loin, le Russe allongé sur le sol gémissait en sourdine. Abgai Mareswi avait déchiré un pan de sa tunique pour lui confectionner un ban- dage de fortune.

« Vite ! »

Elle actionna le mécanisme du lecteur, souleva déli- catement le DVD, le posa dans la main du métis.

« Je crois avoir compris ce qui s'est passé, dit-elle rapidement. Une simple substitution. Et je pense connaître la personne qui détient le bon DVD. »

Tout en parlant, elle palpait le tissu de son choli. Ses doigts avaient localisé la plaque électronique souple, sous son sein droit. Elle cherchait maintenant le léger renflement de l'interrupteur, qu'il lui suffisait de presser cinq fois de suite pour alerter ses correspondants et déclencher la deuxième phase.

« Bien essayé, ma belle. Mais ton charme n'agit pas sur moi. Bonne nuit. »

Elle ferma les yeux, demeura pendant deux secondes tétanisée, glacée, incapable de penser. La détonation éclata comme un coup de tonnerre.

Dans le couloir du bas, Mark croisa des femmes affolées, vêtues de simples dessous et auréolées de leur longue chevelure noire. Elles fuyaient la bataille qui s'était déclarée dans le laboratoire. Les coups de feu crépitaient sans interruption, une bombe fumigène avait éclaté et enseveli les lieux dans une irrespirable fumée noire. Mark arracha sa chemise, la replia rapidement, la colla sur sa bouche et son nez, la noua sur sa nuque. Ses yeux le piquèrent, mais son masque rudimentaire lui permit de s'avancer dans la fumée sans inhaler trop de substance toxique. Une image incongrue le traversa, le visage de Fred, décomposé par la peur. Le Colt de sœur Marie pesait des tonnes au bout de son bras. Les spots brillaient comme des étoiles instables au-dessus de sa tête. Des quintes de toux, des jurons s'élevèrent quelques mètres plus loin. Il se plaqua contre la cloison. Un homme passa en courant devant lui, en quête d'air. Une inquiétude brutale l'étreignit, souffla son espoir de revoir Indrani en vie. Comme si on avait tranché leur lien intime.

Il haletait, évitant de prendre de longues inspirations. Un deuxième homme fila dans le couloir en crachant ses poumons. Deux coups de feu claquèrent encore, puis le silence se rétablit, lacéré par une interminable plainte. Une voix d'homme. Mark se remit en marche, le bras tendu pour prévenir les obstacles. Une surface dure se déroba sous sa main, une porte métallique pivota sur ses gonds et heurta lourdement la cloison. Deux formes jaillirent devant lui. Il crut distinguer une chevelure blonde. Quelque chose de lisse et de brillant accrocha la lumière d'un spot. Un réflexe le poussa à se jeter en arrière. Un éclair transperça la fumée, une balle siffla au-dessus de sa tête. Il leva machinalement le bras et pressa la détente du Colt. Le pistolet faillit lui échapper des mains, le recul lui meurtrit le poignet.

Il attendit quelques secondes avant de s'introduire dans la pièce noyée de fumée. Des écrans lumineux se découpaient sur le fond noir comme des fenêtres ouvertes sur un autre monde. Le pied de Mark heurta quelque chose de dur. Déséquilibré, il se rattrapa au coin d'un bureau et s'aperçut qu'il avait buté sur un corps. Un Indien, visage encadré d'une barbe, lunettes en travers du visage, frappé en plein cœur. À ses côtés, un Occidental aux cheveux blancs, touché au genou et au ventre, agonisait dans une mare de sang.

Les larmes de Mark ne parvenaient plus à protéger ses yeux de la fumée. De même, il sentait sa gorge et ses poumons s'engorger peu à peu, ses muscles s'engourdir. La bombe continuait de diffuser ses gaz toxiques dans un sifflement aigu. Il lui fallait sortir au plus vite de cette salle, se réoxygéner.

Un mouvement entre deux bureaux.

Il s'avança, le Colt brandi devant lui. Son cœur s'affola lorsqu'il reconnut la chevelure et le sari d'Indrani. Il se pencha sur elle, lui saisit le poignet, lui tâta le pouls : son cœur battait faiblement. Il la retourna avec délicatesse et vit qu'une balle lui avait disloqué l'épaule.

Mark ne rencontra aucune opposition pour sortir de l'antre du Dalit. Il en comprit la raison lorsqu'il déboucha à l'air libre et qu'il aperçut les bataillons de soldats qui, protégés par des casques et des boucliers, progressaient comme des essaims d'insectes dans les allées. Des éclairs prolongés sabraient les ténèbres, miroitaient sur les flaques et sur les toits du *jhuggy*. Le poids d'Indrani, toujours sans connaissance, lui tétanisait les bras.

Surgissant des venelles proches, des ombres convergèrent dans sa direction.

Un barrage de soldats contraignit Mike et Abel à rebrousser chemin. Ils tournaient en rond depuis maintenant deux heures dans le bidonville transformé en champ de bataille. De partout surgissaient des hommes, des femmes et des enfants armés de fusils, de pistolets, de cocktails Molotov. Des corolles lumineuses s'épanouissaient comme des étoiles filantes sur le fond de ténèbres, éclairaient les barricades dressées dans les allées, les monticules d'immondices, les lignes brisées des constructions.

La foule, le fracas des explosions, la chaleur, la puanteur taillaient en pièces les nerfs de Mike. Ils pataugeaient dans une boue de plus en plus molle, s'enfonçaient dans des mares jusqu'aux genoux. Les fusillades les obligeaient parfois à se jeter au sol et à attendre, face contre terre, que la bataille se déplace dans un autre secteur.

« La fille, maugréa Mike.

— Quoi, la fille ? grogna Abel.

— C'est elle qui a prévenu l'armée, j'en suis sûr.

— Tu ne l'as pas tuée ?

— Pas eu le temps. Quelqu'un a tiré avant. Elle devait avoir une balise ou un truc électronique planqué sur elle.

— On s'en fout ! Il faut se sortir de ce merdier. »

À la faveur d'une explosion, Mike entrevit le rictus de peur qui déformait le visage d'Abel, habituellement indéchiffrable. Il ne connaissait pas vraiment celui qui avait été son compagnon pendant plus de six ans. Comme, probablement, Abel ne connaissait pas le véritable Mike. Les rituels de mort et les montées d'adrénaline n'avaient pas suffi à tendre entre eux un fil intime, ni même un semblant d'amitié. Ils étaient restés ensemble uniquement parce que leur association se révélait efficace. Et la mauvaise passe qu'ils traversaient – leur première en six ans – les révélait tels qu'ils avaient toujours été, des êtres solitaires, des ombres insaisissables chez qui les réflexes tenaient lieu de sentiments.

L'allée débouchait sur une immense décharge où les déchets organiques côtoyaient les bouts de tôle, les meubles défoncés, les jantes rouillées, les sacs en plastique. Des dizaines d'enfants armés de couteaux, de lance-pierres ou d'antiques revolvers s'étaient postés derrière des barricades comme des soldats chargés de défendre une position. Les deux hommes voulurent rebrousser chemin, mais d'autres enfants, deminus ou vêtus de haillons, s'étaient déployés silencieusement derrière eux pour leur couper toute retraite.

Mike leva son Beretta et les menaça d'un geste circulaire. Ils continuèrent d'avancer. Il jeta un coup d'œil vers l'autre côté : Abel braquait ses deux armes, le Casull et le Luger, sur les silhouettes qui s'étaient disposées en ligne devant la décharge et qui, lentement, se resserraient sur lui. Le cercle des enfants occupait tout l'espace, bouchait chaque venelle, chaque intervalle. Le vent soulevait leurs cheveux et leur donnait l'allure d'une hydre à mille têtes.

« Le premier qui avance… ! hurla Mike.

— Ta gueule ! » lâcha Abel.

Il ouvrit le feu. Les balles puissantes du Casull projetèrent quelques enfants deux ou trois mètres en arrière, mais ne brisèrent pas la progression des autres. Elles sonnèrent au contraire le début de la charge. Les désespérés du *jhuggy* avaient franchi cette lointaine frontière où la peur de la mort n'a plus cours. Les deux tueurs pressèrent sans discontinuer la détente de leurs armes. La meute vociférante s'abattit sur eux, des mains leur agrippèrent le cou, les jambes, les bras, des lames leur lacérèrent la poitrine et le ventre. Ils ruèrent comme des animaux pris au piège, mais, submergés sous le nombre, criblés de coups de couteau, ils furent renversés sur le sol. Le goût de la terre se mêla dans leur gorge à celui de la peur et du sang.

« Elle a perdu beaucoup de sang, dit sœur Marie. Il faudrait l'emmener d'urgence à l'hôpital. »

La religieuse avait retiré le choli d'Indrani. Toujours inconsciente, la jeune Indienne était allongée sur un charpoy mille fois rafistolé. Après avoir désinfecté la plaie avec un reste d'alcool à brûler, sœur Marie lui avait noué un pansement de fortune autour de l'épaule et lui avait recouvert la poitrine avec le pallav de son sari.

La bataille leur interdisant de s'aventurer dans les allées du bidonville, ils s'étaient réfugiés dans le logement d'une famille dont le père et les deux fils étaient allés se joindre aux autres sur les barricades. Les occupantes de la baraque, une vieille femme et deux fillettes, se tenaient serrées les unes contre les autres et levaient des yeux à la fois intrigués et effrayés sur Mark. Il avait enfilé sa chemise, noircie par la fumée et rougie par le sang. Sœur Marie avait essayé de retenir ses enfants près d'elle. Ils s'étaient égaillés comme des moineaux dans les allées. Des éclats de lumière zébraient l'obscurité et révélaient les étoffes aux couleurs vives tendues devant les ouvertures.

« Le gouvernement prétend lutter contre le Dalit, mais il profite de la situation pour exterminer les habitants du *jhuggy*, murmura la religieuse d'un air sombre. Demain, nous brûlerons des centaines de cadavres. À votre avis, de quel côté se trouve le terrorisme ? »

Indrani reprit conscience au milieu de la nuit. Les explosions se faisaient de plus en plus espacées et les armes n'aboyaient plus que de manière sporadique. La vieille Indienne avait allumé une lampe à huile et les deux fillettes s'étaient endormies.

« Mark… »

Indrani le fixait d'un regard éteint. Le brun de ses yeux semblait s'être dilué dans la pâleur de son visage.

« Il n'y avait rien… rien sur le DVD. »

Mark, assis à côté du charpoy, lui effleura délicatement la joue.

« Pas maintenant, chuchota-t-il.

— Pardon… Je n'aurais pas dû… »

Elle perdit connaissance sans pouvoir achever sa phrase. Sœur Marie lui prit le pouls avant de rajuster son pansement.

Les grondements des hélicoptères brisèrent le silence funèbre coiffant le *jhuggy*. L'armée et les unités d'élite de la police de Mumbai étaient venues à bout des dernières poches de résistance. Les groupes de soldats fouillaient maintenant chaque habitation, chaque recoin. On avait dressé des bûchers de crémation en divers endroits pour brûler immédiatement les cadavres et enrayer les possibles épidémies. Le vent, pourtant violent, peinait à disperser l'écœurante odeur de chair grillée qui empestait les allées.

Sœur Marie avait récupéré quelques-uns de ses enfants et les avait envoyés chercher du secours. Des infirmiers vêtus de blanc s'introduisirent dans la pièce, installèrent avec précaution Indrani sur une civière et appelèrent un hélicoptère. Mark resta aux côtés de la jeune femme jusqu'à ce qu'un appareil vienne se stabiliser trois mètres au-dessus du petit groupe et lance un harnais avec lequel les secouristes arrimèrent le brancard. La civière s'éleva lentement. Mark eut le pressentiment qu'il ne reverrait plus jamais Indrani.

« Elle s'en sortira… »

Sœur Marie se tenait derrière lui, un sourire aux lèvres.

« Mieux en tout cas que les deux visiteurs qui voulaient emporter ceci… »

Elle tendit le bras et ouvrit la main sur un disque ébréché, maculé.

« Mes enfants les ont suivis et ont récupéré cet objet, poursuivit la religieuse. Je ne voulais pas prendre une décision sans vous…

— Détruisez-le, l'interrompit Mark. Cette saloperie a fait déjà assez de morts. »

Le sourire de sœur Marie s'élargit.

« Je suis heureuse de vous avoir connu. Je dois vous quitter maintenant : j'ai du pain sur la planche. »

Mark buvait un café à Sahar, l'aéroport international de Mumbai. Les services secrets indiens lui avaient réservé un billet première classe sur le premier vol d'Indian Airlines à destination de Paris. Ils lui avaient également alloué une escorte, composée d'un civil, un homme d'une quarantaine d'années à la politesse exquise et au français chantant, et de cinq militaires en uniforme armés jusqu'aux dents. Ils l'avaient conduit dans un hôtel de luxe des environs de Sahar pour qu'il puisse se reposer, se restaurer et se changer – les vêtements qu'ils lui avaient fournis étaient un peu trop courts. Mark savait qu'ils ne le lâcheraient pas d'une semelle tant qu'il ne serait pas embarqué dans l'avion. La seule faveur qu'il leur avait demandée, revoir Indrani avant de quitter l'Inde, lui avait été refusée.

Les cinq soldats se tenaient à une dizaine de mètres de la table, déployés dans la fourmilière de la salle des départs, fusils en bandoulière.

« L'opération de Miss Satyanand s'est parfaitement déroulée, dit l'accompagnateur de Mark. Je l'ai eue au téléphone il y a dix minutes. Elle m'a chargée de vous dire que… – il hésita, visiblement embarrassé – qu'elle vous gardera dans ses pensées.

— Vous vous êtes servis d'elle pour conduire l'armée au repaire des Intouchables, c'est ça ?

— Cela faisait très longtemps que nous avions localisé leur laboratoire. Mais nous ne voulions pas prendre le risque de l'attaquer avant d'avoir récupéré le contenu de leur disque dur.

— Qu'allez-vous faire d'elle ?

— Elle retournera dans l'Himalaya dès qu'elle sera rétablie.

— Qui a eu l'idée de me faire venir en Inde ? Hébert, vraiment ?

— Quelqu'un que vous connaissez bien.

— Salinger ? »

Le silence de l'Indien équivalait à un aveu.

« Vous semblez en savoir beaucoup sur moi, reprit Mark.

— Peut-être davantage que vous-même, monsieur Sidzik, fit son vis-à-vis avec un petit sourire. C'est le rôle des services secrets.

— Le DVD était vide, n'est-ce pas ? J'ai l'impression que ce cher Salinger vous a joué un tour à sa façon…

— Nous avons couru derrière un leurre, c'est vrai. Mais le *World Ethics and Research* ne détient qu'une partie du dossier. La deuxième.

— Et si quelqu'un lui rapportait la première ?

— Miss Satyanand avait réussi à la copier sur un DVD, mais, aux dernières nouvelles, il a brûlé avec les corps des deux mercenaires américains. Et le laboratoire a été entièrement détruit par un incendie. Tant pis. Nous aurons au moins porté un coup décisif aux Intouchables…

— Vous n'avez pas résolu vos problèmes en décapitant le Dalit ! coupa Mark. Les Intouchables n'ont fait qu'occuper un terrain déserté par votre gouvernement. »

L'Indien eut une moue désabusée.

« Il y a bien longtemps, monsieur Sidzik, que gouverner n'est plus prévoir. Nous ne sommes pas meilleurs ou pires que les partisans de Ranjibar, seulement du bon côté du pouvoir. Et tous ces morts ont peut-être évité une guerre civile, qui sait ? Je crains fort, de toute façon, que nous ne trouvions jamais la clef de l'immortalité. »

Mark jeta un coup d'œil sur la pendule de l'aéroport. Des files interminables et convulsives se pressaient devant les guichets des compagnies aériennes. La nuit tombait sur Mumbai. La métropole du Maharashtra disposait de quelques heures pour s'étourdir dans ses rêves de lumière.

« Comme c'est votre rôle de tout savoir, je suppose que vous avez une petite idée de ce qu'est devenu mon ami Fred Cailloux…

— Il s'est envolé hier à bord d'un avion sanitaire. Vous le retrouverez en arrivant à Paris. »

19

Mark marchait d'un pas léger dans la rue de Verneuil, respirant à plein poumons l'air vif de l'automne parisien. En arrivant à Roissy, il lui avait semblé pénétrer dans une immense zone stérile. Les routes et les rues lui avaient paru vides, mornes, les automobilistes étrangement disciplinés, les passants renfrognés, pressés. Il avait fait un saut à son appartement, téléphoné à Joanna – pas là, évidemment –, puis il avait pris connaissance des quatorze messages qui encombraient son répondeur. Les treize premiers ne présentaient pas grand intérêt. Le dernier émanait de Salinger, qui lui fixait rendez-vous à dix heures au bureau parisien du *World Ethics and Research.*

Il longea la maison des écrivains, s'arrêta au numéro 37, composa les quatre numéros du digicode. Les employés du Comité – dont onze étaient des femmes, Salinger aimait s'entourer de charme – le saluèrent d'un large sourire – hormis le seul homme de la volière, qui se contenta d'un geste de la main assorti d'un grognement.

Le professeur l'accueillit dans son vaste bureau dont les fenêtres habillées de voilages donnaient sur la cour intérieure. Tiré à quatre épingles comme toujours, costume de tweed confortable, cravate vert amande, cheveux blancs soigneusement organisés sur le sommet du crâne, moustache parfaitement en ligne, l'œil aussi gris qu'un ciel d'Angleterre. Mark s'attendait à chaque instant à le voir allumer un cigare ou sortir une flasque de whisky de la poche intérieure de sa veste, mais il ne fumait pas, ne buvait pas. Il n'avait pas d'autre défaut que celui d'être désespérément anglais.

Il désigna à Mark l'un des deux fauteuils de cuir fauve placés en face son bureau.

« Je n'ai que peu de temps à vous consacrer. Je dois me rendre dans… – il consulta sa montre – vingt minutes à la Porte Maillot. Un congrès. »

Salinger était toujours attendu à un congrès ou à une réunion importante au moment des explications.

« Allons donc à l'essentiel, professeur, fit Mark en se carrant dans un fauteuil. Primo, la prochaine fois que vous m'envoyez en mission, j'aimerais que vous ayez l'amabilité de m'en informer. »

Salinger s'assit à son tour, posa les coudes sur le bureau et le menton sur ses doigts entrecroisés.

« Les experts en stratégie militaire soutiennent qu'il est parfois préférable de taire les véritables objectifs aux hommes de troupe. La survie devient alors leur seule préoccupation, et leur efficacité s'en trouve…

— Vous n'êtes pas un officier, je ne suis pas un soldat, nous ne sommes pas sur un champ de bataille, coupa Mark d'un ton sec. J'exige seulement d'être traité comme un être conscient.

— J'en tiendrai compte à l'avenir. Je crois savoir que vous êtes un spécialiste du Tao…

— Qui pourrait se prétendre spécialiste en Tao ? »

Salinger balaya l'objection d'un revers de main.

« Parfois la réussite dépend de la force, de la partie consciente, du yang. Parfois elle repose sur l'imprévu, l'adaptation, le yin. Je n'ai pas cherché à vous duper, j'ai seulement essayé de tirer le meilleur parti des circonstances.

— Admettons. Deuxième point : à qui Jean Hébert a-t-il remis l'autre DVD ?

— À quelqu'un qui vous est très cher… »

Un voile se déchira dans l'esprit de Mark. Il se remémora la disparition de Joanna, la petite virée en Asie dont elle avait parlé à Fred. Il en eut le souffle coupé.

« Ne me dites pas que…

— Jean Hébert était l'ami de Samuel Sidzik. Votre grand-mère m'est tout de suite apparue comme l'intermédiaire idéal. Elle-même a immédiatement adhéré au projet avec enthousiasme.

— Elle a plus de quatre-vingts ans, professeur !

— Quatre-vingts ans chez elle équivalent à quarante ans chez la plupart des êtres humains. Et puis son âge était un atout : on ne soupçonne pas les grand-mères de se mêler à ce genre d'affaire. Rassurez-vous, elle n'a couru aucun risque.

— Où est le DVD ?

— En lieu sûr. À mon tour de vous poser une question. Avez-vous récupéré les données stockées dans le laboratoire du Dalit ?

— Le DVD sur lequel elles ont été copiées a été détruit. Et le laboratoire a brûlé. »

Les yeux du professeur se ternirent de dépit.

« Ennuyeux.

— Une saloperie biotechnologique a été détruite. Personnellement, je ne trouve pas ça ennuyeux.

— Je ne parle pas de ce projet-là, mais de l'autre…

— Quel autre ? »

Mark se souvint qu'Indrani lui avait parlé *des* inventions de Jean Hébert.

« Connaissez-vous le Soma ?

— La divinité du Rig Veda ? »

Salinger acquiesça d'un abaissement des paupières.

« Un mandala entier, le neuvième, lui est consacré. Les hymnes disent de lui qu'il apporte l'ivresse et l'immortalité à ses adorateurs. La plupart des exégètes pensent qu'il s'agit d'un simple symbole, mais Hébert était persuadé qu'un principe biologique se cachait sous cette divinité. La prolongation de la vie humaine était devenue son grand dessein, son obsession. Mais il avait besoin d'argent et personne ne s'intéressait à son projet. Seul le Dalit s'est montré preneur, à la condition qu'il aide les biologistes intouchables à mettre au point une arme biotechnologique, un virus mutant destiné à réduire à néant la production de soja et à soulever d'insurmontables problèmes en Occident.

— Son idée de Soma n'a vraiment intéressé aucune entreprise de bio-ingénierie, aucun laboratoire ?

— Même s'il avait côtoyé les plus grands esprits du siècle dernier, il passait pour un farfelu. Et puis il s'était converti à l'Islam. Il a donc accepté l'argent et le marché du Dalit. »

Le professeur s'absorba dans ses pensées pendant quelques instants.

« Je l'ai rencontré à deux reprises, reprit-il. Et je crois qu'il s'est très rapidement rendu compte de son erreur. Il espérait sans doute mener jusqu'au bout ses recherches sur l'immortalité sans en payer le prix aux Intouchables. Il a consulté les plus grands spécialistes en sanskrit, les botanistes, les médecins ayurvédiques… Et il a fini par identifier la plante qui correspond à la définition du Soma. Une plante qui pousse dans un biotope très particulier de l'Himalaya et qui a pour caractéristique de produire une quantité phénoménale de bactériocines. Vous savez ce que sont les bactériocines ? »

Mark hocha la tête.

« Je crois, oui. C'est ce qui tient lieu de système immunitaire chez les plantes, n'est-ce pas ? Des protéines capables de tuer les bactéries…

— Exactement. La consommation régulière de Soma entraîne une modification en profondeur de la flore intestinale. Et, comme vous ne le savez peut-être pas, la qualité de la flore intestinale joue un rôle considérable dans la durée de vie d'un animal… ou d'un homme.

— C'était donc ça, l'invention de Hébert ? La découverte d'une plante, tout bêtement ?

— Non. Pas seulement. Son idée était de concentrer en une seule plante, par transgenèse, divers composants contribuant au ralentissement du vieillissement des cellules. Il a intégré au génome du Soma des gènes codant pour la fabrication de polyphénols – un antioxydant – et pour celle de bêtaglucanes. Lesquels bêtaglucanes stimulent le système immunitaire. Seulement, il s'est produit quelque chose qu'il n'avait pas prévu…. »

Mark le dévisagea en silence, intrigué.

« Quelque chose d'imprévisible, par définition. Car la génétique est une science en partie imprévisible, quoi que certains esprits réducteurs ou mal informés puissent en dire… Bref. Il s'est avéré que la réunion de ces gènes sur un même génome – celui du Soma – a produit un effet bien supérieur à celui normalement généré par la somme des trois, *stricto sensu*. Si bien que Hébert s'est retrouvé devant un alicament capable d'assurer à ceux qui l'ingèrent non pas l'immortalité, bien évidemment... Mais un allongement spectaculaire de la durée de vie.

— Que contenait le DVD que vous a remis Joanna ?

— Une partie du décodage génétique du Soma. Mais il nous manque certaines données, gardées en mémoire dans le laboratoire du Dalit, et Hébert n'a jamais voulu nous révéler la région de l'Himalaya où pousse cette plante.

— Les services secrets indiens étaient au courant de tout cela ?

— Naturellement. Ils proposaient de confier l'invention de Jean Hébert au W.E.R. si, de notre côté, nous aidions leurs agents à éradiquer le mouvement terroriste du Dalit. Mais je savais qu'ils n'avaient pas l'intention de respecter leur contrat, et j'ai veillé à les aiguiller sur une fausse piste. Quel gouvernement ne rêverait pas de détenir le pouvoir de doubler ou de tripler l'espérance de la vie humaine ?

— Que se serait-il passé si vous aviez été en mesure de matérialiser le rêve de Jean Hébert ? »

Salinger joua avec un stylo qui traînait sur le sousmain de cuir.

« Nous y parviendrons sans doute un jour. Nous serons alors placés devant un dilemme éthique. Le même d'ailleurs que celui posé par la biotechnologie dans son ensemble. Faut-il commercialiser une invention qui prolonge la durée de la vie ? À partir de quel moment renions-nous notre propre nature et cédonsnous à la tentation eugéniste ? Les enjeux financiers ne fausseront-ils pas les données ? Ne risquons-nous pas d'aggraver les inégalités entre le Nord et le Sud ? De déclencher une guerre de l'immortalité comme nous avons déclenché la guerre des brevets ? »

Il tira la manche de sa veste et jeta un coup d'œil sur sa montre.

« Et Duane Shorty ? demanda encore Mark.

— Il avait une double casquette. Il travaillait à la fois pour le W.E.R. et la BioGene.

— Merci de m'avoir tenu au courant…

— Je ne pouvais pas vous parler au téléphone. Le réseau mondial de communication est devenu une gigantesque oreille. D'ailleurs, on a constaté des cas de mort suspecte parmi les dirigeants de plusieurs entreprises de biotechnologie, la BioGene, la Grasanco, la ProTech… La guerre des gènes bat son plein. »

Le professeur se leva et se dirigea vers la patère où était suspendu son éternel imperméable.

« Je dois vous quitter maintenant. Je vous accorde, disons deux semaines de congé. Profitez-en pour vous refaire une santé. »

Le cœur battant, Mark poussa la porte du pavillon de la Butte-aux-Cailles. Joanna l'attendait, debout dans le vestibule. Belle comme seules peuvent l'être les femmes de quatre-vingts ans qui restent jeunes parce qu'elles ont accepté de vieillir. Une paire de béquilles appuyées contre un mur informa Mark qu'elle avait recueilli un blessé du nom de Fred Cailloux.

« Tu vas me disputer, mon minou… » commença Joanna.

Il se rapprocha d'elle et l'attira contre lui. Il n'avait pas envie de lui adresser le moindre reproche. Seulement de se blottir dans sa chaleur, de respirer son parfum.

« Eh, Mark Sidzik, j'existe aussi ! »

Jamais le timbre grasseyant de Fred ne lui avait paru si mélodieux. Vautré sur le canapé du séjour, coincé dans son plâtre comme une tortue dans une moitié de carapace, le revenant Cailloux le fixait d'un air goguenard.

« Ça ne te gêne pas si je zone chez ta grand-mère pendant quelque temps ? J'ai déjà donné pour l'hôpital. J'ai risqué ma vie pour te tenir la main en Inde. Ça vaut bien qu'elle me dorlote un peu, non ? »

Mark ne répondit pas. Le rêve de Jean Hébert resterait une utopie, Indrani un souvenir, c'était sans doute mieux pour tout le monde. Sans relâcher Joanna, il leva les yeux sur le portrait de Samuel qui fixait pour l'éternité le clan reconstitué.

PRÉCISIONS

*Entretien avec Alain GALLOCHAT,
directeur juridique de l'Institut Pasteur.*

À quoi sert un brevet ?

Un brevet est délivré à l'auteur d'une invention ou à son employeur, par un organisme officiel – par exemple, le PTO aux États-Unis, l'Office européen des brevets en Europe. Sa fonction est de protéger l'invention : une fois le brevet déposé, quiconque voudra utiliser l'invention devra verser des droits au titulaire du brevet.

Quelles sont les conditions requises pour que soit délivré un brevet ?

Pour être brevetable, une invention doit être nouvelle, non évidente et avoir une application industrielle, charge à l'inventeur d'en convaincre l'Office des brevets. Mais le brevet ne peut pas s'appliquer à la découverte de quelque chose d'existant tel que dans la nature. Par exemple, on ne peut pas breveter un élément chimique comme l'oxygène, l'hydrogène, etc. : ces éléments existent déjà.

D'autre part, à supposer que l'invention possède les qualités requises, l'acquisition du brevet n'est pas gratuite : le dépôt, l'obtention et la maintenance d'un brevet coûtent cher, de même que sa défense en cas de contrefaçon.

Un être vivant est-il brevetable ?

Oui, du moment qu'il répond aux conditions nécessaires à la brevetabilité. On peut, de nos jours, breveter une plante, un animal, même un animal supérieur. À condition, bien sûr, qu'ils doivent leur existence à la main de l'homme et qu'ils n'existent pas tels que dans la nature. Ainsi, on ne pourra pas breveter une plante inconnue, que l'on vient de découvrir. En revanche, on pourra breveter une plante dont le génome a été modifié. Ou une souris transgénique, par exemple – comme ce fut le cas pour la souris de Harvard, en 1988.

Cela a-t-il toujours été le cas ?

Non. Tout est parti de l'affaire Chakrabarty. Ce chercheur indien avait modifié le génome d'une bactérie de telle sorte qu'elle dégrade les hydrocarbures. Lorsqu'il a déposé sa demande de brevet, il a d'abord essuyé un refus de l'Office américain des brevets (le PTO). Mais d'appels en contre-appels, le dossier s'est retrouvé devant la Cour suprême, qui a statué en faveur de Chakrabarty. En avril 1980, suite à cette affaire, il a été désormais établi aux États-Unis que « tout ce qui est sous le soleil et qui doit son existence à la main de l'homme est brevetable ».

Et en Europe ?

Tout dépend ce que l'on entend par Europe. L'Office européen n'a pas encore statué définitivement sur la question, et il y a donc des centaines de demandes de brevets sur des êtres vivants (plantes ou animaux transgéniques) qui restent aujourd'hui en suspens. En revanche, la Communauté européenne vient d'adopter, en juillet 1998, une directive selon laquelle les plantes et les animaux sont brevetables. Cette directive ne deviendra effective que d'ici deux ans, le temps qu'elle soit transposée dans les législations des différents pays. Il y a donc, pour l'instant, une contradiction assez absurde entre l'attitude de l'Office européen des brevets et celle de la Communauté européenne…

Et le corps humain ? S'il est génétiquement modifié, peut-il être breveté ?

Non, dans aucun pays. En revanche, il est possible de breveter des éléments du corps humain : des protéines, des fragments de gènes… Aux États-Unis, c'est le cas depuis longtemps. Dans la Communauté européenne, seulement depuis la directive de juillet 1998.

On peut breveter un gène humain, donc, à condition de l'avoir isolé, caractérisé, et qu'il y ait une application industrielle réelle pour ce gène. Bien sûr, cette décision a soulevé de nombreux débats éthiques. En arrière-fond plane une crainte, en réalité non fondée : celle de voir peu à peu brevetés tous les gènes humains, puis le génome humain dans son entier, et enfin le corps humain. Mais cela ne tient pas : un gène, pour être breveté, doit être doté d'une application industrielle. Ce qui n'est pas le cas de la majorité des gènes !

On peut craindre que le brevetage des gènes n'entrave au bout du compte la recherche. Peut-on

encore travailler sur un gène, une fois qu'il est breveté ?

Évidemment. Supposons en effet qu'un chercheur
n° 1 découvre le gène qui permet d'avoir les cheveux
bouclés. Il dépose le gène et son application. Un chercheur n° 2, travaillant sur le même gène, pourra, par
exemple, découvrir par la suite que ce gène a aussi
une activité sur le Sida. Il déposera à son tour un brevet d'application, dit « brevet secondaire ». En théorie,
évidemment, il n'aura pas l'autorisation de l'exploiter
sans verser des droits au chercheur n° 1. Et peut-être
n'en aura-t-il pas les moyens financiers. Mais il existe
alors un recours : il suffit d'en appeler à un juge. Celui-
ci peut, de son autorité, donner l'autorisation de
licence, dans l'intérêt de la santé publique.

Jeremy Rifkin, dans son ouvrage *Le Siècle biotech*
(La Découverte, 1998), évoque « un conflit historique
entre les nations hyperdéveloppées de l'hémisphère
Nord et les pays en voie de développement de l'hémisphère Sud pour la mainmise sur les trésors génétiques
de notre planète ». Les grandes multinationales, dit-il,
envoient dans les pays du Sud des prospecteurs en
quête de caractéristiques génétiques rares suscepti-
bles d'acquérir une valeur commerciale. La sagesse
ancestrale des indigènes leur permet d'identifier les
vertus de telle ou telle plante ou insecte… Après quoi,
la multinationale a beau jeu de déposer un brevet,
sans que le pays qui en est la source soit aucunement
rétribué !

Cette position mérite d'être nuancée. En premier
lieu, la convention de Rio, en 1990, a interdit de piller
les richesses biologiques des différents pays sans
contrepartie financière. Supposons qu'une plante

miraculeuse ait été découverte dans un pays en voie de développement. Si l'on veut importer cette plante, il faudra l'acheter, comme on achète du riz, des arachides, etc. D'autre part, elle ne peut être brevetée, puisqu'elle existe telle quelle dans la nature. Rien ne peut donc interdire aux autochtones de l'exploiter et de l'utiliser comme ils l'ont toujours fait.

Supposons qu'une multinationale parvienne à identifier la molécule active, « miraculeuse », de cette plante. Peut-elle déposer un brevet sur cette molécule ?

Oui. Mais identifier précisément la molécule qui a tel ou tel effet n'a rien d'évident. En général, on a des extraits de plantes – un mélange, une soupe – sans savoir exactement quel est le principe actif. Et une soupe n'est pas brevetable. Admettons, pourtant, que l'on parvienne à identifier la molécule. Alors, oui, on pourra déposer une demande de brevet protégeant la molécule, son procédé d'obtention et son application.

Et le pays qui en est la source ne touchera donc rien sur l'exploitation de ce brevet ? Même si la plante a poussé sur son territoire ? Même si les vertus de la plante ont été identifiées, intuitivement, par le savoir ancestral des indigènes dont les prospecteurs de la multinationale se seront servis ? Avec un peu de temps, le pays aurait pourtant pu atteindre un stade de développement lui permettant d'identifier lui-même cette substance par des voies scientifiques…

Il est vrai qu'en matière de brevet, le premier arrivé gagne : c'est la règle du jeu. Mais justement, les pays en voie de développement pourraient profiter de cet état de fait, au lieu de le subir. Car, dans le domaine des biotechnologies, le travail, de type universitaire, s'adapte parfaitement à de petits laboratoires. Il ne nécessite pas de fonds très importants. Ce qui est extrêmement coûteux, c'est l'industrie du médicament : seuls les grands groupes, les grands pays, peuvent se permettre d'avoir une industrie pharmaceutique. Les pays en voie de développement, par le système des brevets, pourraient justement verrouiller leurs inventions, et se constituer un patrimoine de propriété intellectuelle. Dès lors, ils licencieraient ces inventions aux multinationales les plus offrantes.

Restent deux points importants pour y parvenir. D'une part, le pays en question doit impérativement adopter une législation en matière de brevets. D'autre part, se pose un problème financier : la société qui dépose un brevet ne doit pas se contenter de couvrir le territoire de son pays. Son brevet doit s'étendre dans tous les autres pays. Mais évidemment, cela coûte cher… Parfois trop cher pour la société qui dépose le brevet.

8686

Composition Nord Compo
Achevé d'imprimer en France (La Flèche)
par Brodard et Taupin
le 16 octobre 2008. 49678
Dépôt légal octobre 2008. EAN 9782290322741

Éditions J'ai lu
87, quai Panhard-et-Levassor, 75013 Paris
Diffusion France et étranger : Flammarion